le Saumon
à toutes les sauces

Dépôt légal : 1er trimestre 2010
Bibliothèque nationale et Archives du Québec
Bibliothèque nationale du Canada

© Éditions Coup d'œil

Rédaction : Bertrand Eichel et Sophie Ginoux
Correction : Corinne Danheux
Photographies des plats cuisinés : Karine Patry
Crédits photographiques : iStockphoto et Fotolia
Conception graphique : Marjolaine Pageau

Imprimé en Chine
ISBN : 978-2-89638-651-2

Le Saumon
à toutes les sauces

Les Éditions
Coup d'œil

Table des matières

Légende

Coût de la recette par personne
$ = moins de 10 $
$$ = de 10 à 15 $
$$$ = plus de 15 $

Degré de difficulté
👨‍🍳 = facile
👨‍🍳👨‍🍳 = moyen
👨‍🍳👨‍🍳👨‍🍳 = difficile

Introduction

Le saumon, roi des rivières et prince des mers

Nous consommons tous régulièrement du saumon, mais que savons-nous à son sujet ? Bien peu de choses, dans les faits. Pourtant, c'est un animal si fascinant que beaucoup de pêcheurs à la mouche lui vouent une véritable passion. Pourquoi ? Tout d'abord parce qu'il faut des aptitudes exceptionnelles pour pouvoir vivre dans deux milieux drastiquement différents. Or, le saumon naît en eau douce dans des eaux courantes, descend jusqu'à la mer où il vit parfois plusieurs années, puis retourne dans la rivière où il est né pour se reproduire. Comment s'y prend-il pour retrouver son chemin ? La question est encore entière, certains scientifiques arguant que le magnétisme terrestre, ou encore la libération de phéromones, pourraient expliquer ce miracle. Il n'empêche que le saumon parcourt des centaines, voire des milliers de kilomètres jusqu'à l'âge adulte, un peu comme un enfant prodige qui reviendrait après des années d'études à l'étranger bardé de diplômes et de succès. Mais ce n'est pas tout ! Le saumon ne choisit jamais la facilité. Il ne descend donc pas, mais remonte continuellement le courant, ce qui l'oblige à lutter sans cesse contre les forces de la nature. Comment y parvient-il ? En sautant, parfois très haut au-dessus de l'eau. D'ailleurs, le terme « saumon », qui est apparu en latin au XIIe siècle, veut littéralement dire « qui saute ».

Une grande famille

Cousin de la truite, le saumon se décline en 11 genres et quelque 66 espèces. Il n'y a cependant qu'environ 7 espèces de saumon consommées par les hommes :

Le saumon royal ou saumon chinook, qui est le plus grand des saumons (en moyenne de 84 à 91 cm) et qui pèse entre 13,5 et 18 kg. On le reconnaît à son dos vert olive tacheté de noir et à sa chair, qui varie de rose clair à orange foncé. Il est souvent apprêté fumé.

Le saumon rouge ou sockeye est une espèce très recherchée pour sa chair rouge ferme et très savoureuse. Il mesure en moyenne entre 60 et 70 cm de long, pèse entre 2 et 3 kg, et son dos est vert bleuté. On le retrouve souvent en conserve.

Le saumon argenté ou saumon coho, au dos de couleur bleu métallique parsemé de petites taches noires, mesure en moyenne entre 45 et 60 cm et pèse de 2 à 4,5 kg. Sa chair rouge orangé est plus pâle que celle du saumon rouge, mais lui confère un intérêt commercial important sous toutes les formes, de la conserve au rayon des poissons frais ou saumurés.

Le saumon rose, le plus petit de tous ceux que nous consommons (entre 43 et 48 cm, pour un poids de 1,3 à 2,3 kg) et reconnaissable à son dos vert bleuté parsemé de grandes taches noires, a une chair rosée plutôt molle et qui se défait en petits morceaux. Il est surtout mis en conserve.

SAUMON ARGENTÉ

Le saumon kéta, qui mesure en moyenne 64 cm et pèse de 5 à 6 kg, se distingue par de pâles rayures pourpres sur ses flancs. C'est aussi celui qui a la moins belle et la moins bonne chair, si ce n'est qu'elle est moins grasse. On le trouve quand même un peu sous toutes les formes, car son prix est très abordable.

Le saumon de l'Atlantique (80 à 85 cm, pour en moyenne 4,5 kg) est le seul saumon qui vit dans l'océan Atlantique, ce qui le rend plus résistant que les autres espèces. Reconnu pour sa combativité et sa chair rose délicieusement parfumée, on le trouve frais, fumé ou congelé.

Il existe aussi dans certaines parties du globe des saumons d'eau douce qui, à la différence des autres, ne migrent pas. Même s'ils ont disparu de la majorité des cours d'eau aujourd'hui, on en retrouve en Scandinavie et en Amérique du Nord. D'ailleurs, la ouananiche (qui signifie « le petit égaré » en langue montagnaise) que nous retrouvons ici, au Québec, est un délicieux petit saumon d'une grandeur de 20 à 60 cm et qui pèse rarement plus de 6 kg. Sa morphologie est un peu différente des autres espèces de saumon, mais il s'apprête de la même manière et est délicieux.

Saumon sauvage et saumon d'élevage : deux mondes

Si nous sommes souvent plus sensibles au prix que peut coûter le saumon qu'à son origine, il faut tout de même savoir que celui du saumon sauvage est nettement supérieur à celui du saumon d'élevage. Cela s'explique facilement avec un petit retour historique. En effet, de la préhistoire au XVIIIᵉ siècle, le saumon a été un poisson très consommé. Toutefois, la révolution industrielle a engendré une importante pollution des eaux ainsi que l'aménagement des cours d'eau, ce qui a entraîné la disparition du saumon dans les rivières et la raréfaction des espèces qui migrent. Le saumon sauvage est par conséquent devenu aussi rare que cher.

Qu'en est-il du saumon d'élevage ? C'est celui que nous retrouvons le plus souvent dans nos assiettes aujourd'hui. Il est apparu en Europe dans les années 1960, lorsqu'on a cherché à multiplier l'arrivage de saumon de l'Atlantique. Les principaux pays producteurs de ce type de saumons sont l'Écosse, la Norvège et l'Irlande, et la qualité varie d'une entreprise à l'autre. On estime à 700 000 tonnes l'aquaculture générée par le saumon chaque année.

À quoi distingue-t-on un saumon sauvage d'un saumon d'élevage ? Si on se trouve chez un poissonnier, il faut porter une attention particulière à la queue du poisson. En effet, celle du saumon d'élevage sera mince, au bord arrondi et sans marques, tandis que celle du saumon sauvage sera plus large et souvent plus abîmée. Quant à la distinction que l'on peut faire au restaurant, il est connu que le saumon d'élevage a une chair moins fine et plus grasse que le saumon sauvage... quoique s'il est servi en sauce, il sera peut-être difficile de faire la différence.

Espèces en danger!

Le phénomène de surpêche du saumon ne date pas d'aujourd'hui, des systèmes sophistiqués de filets ou de barrages existant déjà au XVIIIᵉ siècle. La situation s'est cependant détériorée depuis une vingtaine d'années, au cours desquelles les stocks de saumon sauvage ont chuté de 75%. Pire encore, le saumon atlantique a entièrement disparu de 15% des rivières et fleuves d'Europe et d'Amérique du Nord, dans lesquels il abondait. Différentes politiques ont été menées pour tenter d'endiguer le problème, qu'il s'agisse d'interdiction de pêche dans des zones d'engraissement, de quotas, ou encore d'opérations de repeuplement.

Toutefois, la situation est fragile par endroits et vraiment critique à d'autres, la pêche n'étant pas la seule responsable de la raréfaction des saumons sauvages. En effet, les polluants, la dégradation des fonds marins, le réchauffement climatique et même des pollutions génétiques engendrées par des réintroductions anarchiques dans la nature de certaines espèces, voire de poissons génétiquement modifiés, sont également en cause.

De nombreux bienfaits

Le saumon, qu'il soit sauvage ou d'élevage, est un poisson gras aux vertus nutritives importantes. C'est également l'un des poissons les plus riches en omega-3, un acide gras qui protège le système cardio-vasculaire, mais aussi en vitamines A et D ainsi qu'en magnésium, un oligo-élément utile pour la santé des os, un bon rythme cardiaque et un bon fonctionnement du système nerveux, et finalement en fer et en phosphore. Il est donc logique que le saumon soit recommandé par la majorité des nutritionnistes et des médecins. Tous ces avantages se retrouvent dans le poisson en tant que tel, mais aussi sous forme d'huile (en gélules), qui contribue à faire baisser de façon significative le «mauvais» cholestérol et à lutter contre l'artériosclérose, dont les conséquences peuvent être l'hypertension artérielle, l'infarctus et les accidents vasculaires cérébraux.

3 astuces utiles sur le saumon

1. Comment savoir si un saumon est frais?

Si le poisson est entier, il suffit de regarder son œil, qui doit être bombé et non vitreux. Si le saumon est déjà coupé, regarder la couleur de sa chair, qui doit être éclatante et ne doit pas suinter. En tout temps, si le saumon sent le poisson… c'est qu'il n'est pas frais! Eh oui, un saumon frais sent bon, contrairement à ce que l'on pourrait penser au premier abord.

2. Quels sont les meilleurs morceaux du saumon?

La partie la plus savoureuse de ce poisson se trouve sur sa partie dorsale, tout près de sa tête. Les filets sont dans un second temps à privilégier. Par contre, il vaut mieux éviter d'acheter la partie arrière du saumon, que l'on retrouve pourtant souvent dans les grandes surfaces en vente libre au même prix que le reste des morceaux.

3. Doit-on s'équiper de matériel pour bien cuisiner le saumon?

Il n'est pas nécessaire de dépenser des fortunes pour savourer du saumon. Alors *exit*, les cuiseurs spéciaux et les ustensiles en argent! Néanmoins, il est intéressant d'avoir sous la main un bon couteau à poisson alvéolé, qui ne déchire pas la peau du saumon et permet d'en faire des tranches fines. Si on est un consommateur régulier de poisson, l'achat d'une planche à découper spécifique peut également être judicieux, car l'odeur du poisson peut imprégner la viande.

À l'étouffée

Nombre de personnes: 4
Temps de préparation: 40 min
Temps de cuisson: 20 min

Accord mets et vins:
Vin blanc sec et fruité ou
porto blanc demi-sec

Aumônières de saumon aux pruneaux et au porto blanc

Ingrédients :

4 pavés de saumon
100 g de pruneaux
4 feuilles de brick
4 oignons
1/4 de tasse de beurre
1/4 de tasse d'amandes effilées
4 c. à thé de noix de pin
1 branche de thym frais
3 c. à soupe de porto blanc
4 tiges de ciboulette

Préparation :

- Éplucher et émincer les oignons en fines tranches. Les faire revenir dans 1 noix de beurre pour qu'ils caramélisent, puis arroser avec le porto, et les faire flamber.

- Couper grossièrement les pruneaux et ajouter les morceaux au mélange précédent.

- Étaler les feuilles de brick et les badigeonner avec 1 noix de beurre fondu.

- Disposer par la suite sur chaque feuille une bonne quantité de préparation aux oignons, puis 1 pavé de saumon. Saupoudrer le tout de 1 cuillère à thé de noix de pin, 1 cuillère à soupe d'amandes et 1 branche de thym frais.

- Refermer la composition pour former une aumônière et ficeler cette dernière avec 1 tige de ciboulette.

- Faire cuire les aumônières pendant 15 minutes dans un four préalablement chauffé à 400 °F (200 °C).

Aumônières de saumon façon brandade

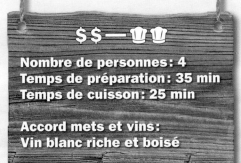

\$\$—♙♙

Nombre de personnes: 4
Temps de préparation: 35 min
Temps de cuisson: 25 min

Accord mets et vins:
Vin blanc riche et boisé

Ingrédients :

225 g de saumon kéta
100 g de saumon fumé
450 g de pommes de terre
4 feuilles de brick
5 échalotes françaises
6 gousses d'ail
3 c. à soupe de crème 35 %
6 c. à soupe d'huile d'olive
1 botte de ciboulette

Préparation :

- Éplucher les pommes de terre et les faire bouillir dans de l'eau salée, jusqu'à ce qu'elles soient tendres. Une fois cuites, les écraser grossièrement avec une fourchette pour en faire une purée avec de gros morceaux.

- Dans une poêle, faire revenir les échalotes et l'ail 1 à 2 minutes avec 2 cuillères à soupe d'huile d'olive, puis ajouter ce mélange à la purée.

- Terminer la brandade en y ajoutant 3 autres cuillères à soupe d'huile d'olive, la crème, le saumon kéta émietté et le saumon fumé haché. Rectifier l'assaisonnement au besoin.

- Étaler les feuilles de brick, puis les badigeonner avec 1 cuillère à soupe d'huile d'olive.

- Disposer une bonne quantité de préparation au centre de la feuille, puis refermer pour former une aumônière et ficeler cette dernière avec 1 tige de ciboulette.

- Faire cuire les aumônières pendant 15 minutes dans un four préalablement chauffé à 400 °F (200 °C).

$$—🍲🍲

Nombre de personnes: 4
Temps de préparation: 15 min
(+ 15 min pour la marinade)
Temps de cuisson: 45 min

Accord mets et vins:
Vin sec et aromatique

Tajine de saumon à l'houmous et aux raisins

Ingrédients :

4 pavés de saumon
300 g de couscous
2 oignons jaunes
1 poivron rouge
1 poivron jaune
3 tomates
4 gousses d'ail
3 citrons (jus)
1/2 citron confit
1/4 de tasse d'houmous (purée de pois chiches)
1/2 botte de persil
1/2 botte de coriandre
2 c. à soupe de raisins secs
3 c. à soupe d'huile d'olive
1 c. à thé de ras-el-hanout (mélange d'épices arabes)
1 c. à thé de cumin
Sel et poivre, au goût
Couscous

Préparation :

- Dans un saladier, mélanger l'ail, le persil, les raisins secs, l'houmous, le jus des 3 citrons et l'huile d'olive.

- Ajouter ensuite le ras-el-hanout, le cumin ainsi que du sel et du poivre.

- Bien mélanger le tout et ajouter les 4 pavés de saumon. Les laisser mariner une quinzaine de minutes.

- Dans l'attente, laver les oignons, les poivrons, ainsi que les tomates.

- Émincer les oignons, faire 1 julienne avec les poivrons et des rondelles moyennement épaisses avec les tomates.

- Dans un tajine, commencer par déposer les rondelles de tomates, puis le saumon côté peau vers le bas.

- Terminer avec le restant des légumes et le 1/2 citron confit, puis verser le reste de la marinade par-dessus.

- Mettre le tajine dans un four préalablement chauffé à 385 °F (195 °C) pendant 45 minutes.

- Servir avec du couscous comme accompagnement.

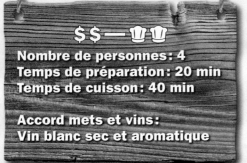

\$\$—♟♟

Nombre de personnes : 4
Temps de préparation : 20 min
Temps de cuisson : 40 min

Accord mets et vins :
Vin blanc sec et aromatique

Tajine de saumon aux olives vertes

Ingrédients :

4 pavés de saumon
25 g de beurre
2 oignons
1 citron (jus)
150 g d'olives vertes dénoyautées
1 c. à soupe d'huile
1 c. à thé de gingembre en poudre
1 c. à thé de curcuma
2 c. à soupe de persil haché
1 c. à soupe de coriandre hachée
Riz ou couscous
Sel et poivre, au goût

Préparation :

- Dans une poêle, faire chauffer l'huile et 1 noix de beurre.

- Ajouter ensuite le curcuma, le gingembre, les oignons et le persil hachés, ainsi que la coriandre.

- Une fois le tout bien doré, retirer du feu et ajouter le jus de citron.

- Dans un tajine, déposer les 4 pavés de saumon côté peau vers le bas, puis verser la préparation par-dessus.

- Ajouter les olives vertes dénoyautées, saler et poivrer au goût, puis enfourner à 400 °F (200 °C) pendant 40 minutes.

- Préparer du riz ou du couscous pour garnir le plat.

$$ — 👨‍🍳👨‍🍳

Nombre de personnes : 4
Temps de préparation : 40 min
Temps de cuisson : 15 min

Accord mets et vins :
Vin riche et aromatique

Papillotes de saumon aux pommes et au curry

Ingrédients

4 pavés de saumon
100 g de beurre
2 pommes
1 oignon
1 carotte
4 c. à thé de crème sure
2 c. à thé de curry
Sel et poivre, au goût

Préparation :

- Découper les pommes en julienne, hacher l'oignon et trancher la carotte en très fines rondelles pour permettre une cuisson rapide.

- Faire revenir les pommes et les carottes dans une portion généreuse de beurre durant 4 minutes, puis ajouter le curry. Réserver le mélange.

- Étaler 4 feuilles d'aluminium d'épaisseur double d'environ 25 cm (10 pouces) et en badigeonner le centre avec du beurre fondu.

- Poser ensuite le saumon, saler et poivrer au goût, puis ajouter un quart de la préparation sur chaque feuille. Terminer le montage en déposant 1 cuillère à soupe de crème sure sur chaque papillote.

- Pour fermer la papillote, préparer 2 feuilles d'aluminium de la même taille que les précédentes et les déposer au-dessus de la préparation. Puis, joindre les feuilles du haut et du bas en les roulant sur elles-mêmes, de manière à former 1 papillote ronde ou ovale.

- Faire cuire les papillotes pendant 14 minutes dans un four préalablement chauffé à 400 °F (200 °C).

$$-\square

Nombre de personnes : 4
Temps de préparation : 15 min
Temps de cuisson : 25 min

Accord mets et vins :
Vin sec et aromatique

Papillotes des îles

Ingrédients :

4 pavés de saumon
100 g de beurre
1 mangue
1 pomme de terre douce
1 poireau
2 échalotes françaises
1 c. à thé de rhum brun
1 c. à soupe de jus d'orange
1 c. à thé de mélange d'épices cajuns
Sel et poivre, au goût

Préparation :

- Découper la mangue en petits dés. Émincer le poireau finement, ciseler les échalotes et faire de très fines rondelles de pommes de terre douces (1 mm) pour leur permettre de cuire rapidement.

- Dans une poêle, faire revenir les échalotes et le poireau dans une généreuse portion de beurre pendant 3 à 4 minutes, puis réserver.

- Étaler 4 feuilles d'aluminium d'épaisseur double d'environ 25 cm (10 pouces) et en badigeonner le centre avec du beurre fondu.

- Déposer sur chaque feuille quelques fines tranches de pommes de terre douces, puis 1 pavé de saumon. Saler, poivrer, puis continuer le montage avec la préparation d'échalotes et de poireau, ainsi que les dés de mangue préalablement enrobés d'épices cajuns.

- Arroser les 4 préparations avec 1 cuillère à thé de rhum brun et 1 cuillère à soupe de jus d'orange.

- Pour fermer la papillote, préparer 2 feuilles d'aluminium de la même taille que les précédentes et les déposer au-dessus de la préparation. Puis, joindre les feuilles du haut et du bas en les roulant sur elles-mêmes, de manière à former 1 papillote ronde ou ovale.

- Faire cuire les papillotes pendant 18 minutes dans un four préalablement chauffé à 400 °F (200 °C).

$$-■

Nombre de personnes: 4
Temps de préparation: 15 min
Temps de cuisson: 15 min

Accord mets et vins:
Vin riche et aromatique

Papillotes à la lime, à l'ail et au basilic

Ingrédients :

4 pavés de saumon
100 g de beurre
4 gousses d'ail
2 limes (jus)
4 c. à thé de basilic haché
4 c. à thé d'huile d'olive
Pain baguette frais
Sel et poivre, au goût

Préparation :

- Dans un bol, mélanger le beurre fondu, le jus des 2 limes, le basilic et l'ail haché.

- Étaler 4 feuilles d'aluminium d'épaisseur double d'environ 25 cm (10 pouces) et en badigeonner le centre avec du beurre fondu.

- Déposer ensuite sur chaque feuille 1 pavé de saumon, saler et poivrer, puis ajouter un quart de la préparation.

- Pour fermer la papillote, préparer 2 feuilles d'aluminium de la même taille que les précédentes et les déposer au-dessus de la préparation. Puis, joindre les feuilles du haut et du bas en les roulant sur elles-mêmes, de manière à former 1 papillote ronde ou ovale.

- Faire cuire les papillotes pendant 14 minutes dans un four préalablement chauffé à 400 °F (200 °C).

- Servir avec 1 bonne tranche de pain frais pour se régaler avec la sauce.

$$—

Nombre de personnes: 4
Temps de préparation: 10 min
Temps de cuisson: 30 min

Accord mets et vins:
Vin blanc sec et aromatique

Saumon au lait de coco en feuille de bananier

Ingrédients :

4 pavés de saumon
3 c. à soupe de lait de coco
4 c. à soupe de basilic thaï
3 c. à soupe de graines de sésame
1 c. à thé de gingembre frais
1 c. à thé de sel de Guérande
Riz

Préparation :

- Paner les 4 pavés de saumon en les plongeant dans les graines de sésame et les faire dorer pendant 2 minutes dans une poêle chaude sans matières grasses.

- Déposer les pavés dans 4 feuilles de bananier, puis ajouter 1 cuillère à soupe de lait de coco sur chaque composition. Saupoudrer le tout de 1 pincée de sel de Guérande, 1 cuillère à thé de basilic thaï haché et 1 pincée de gingembre.

- Fermer ensuite pour former 1 papillote et la consolider avec 1 cure-dent.

- Déposer dans un panier cuit-vapeur (marguerite). Placer ce dernier dans une casserole remplie au tiers d'eau, couvrir et faire cuire durant 25 min (à feu moyen).

- Servir chaud avec sa feuille de bananier et accompagner de riz.

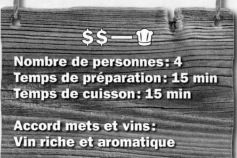

$$—♟

Nombre de personnes: 4
Temps de préparation: 15 min
Temps de cuisson: 15 min

Accord mets et vins:
Vin riche et aromatique

Papillotes de saumon farci au fromage féta

Ingrédients :

4 pavés de saumon
160 g de fromage feta
4 tomates séchées
4 gousses d'ail
1/4 de tasse de beurre
4 c. à thé d'herbes de Provence
4 c. à thé de vinaigre balsamique
4 c. à thé d'huile d'olive
Pain baguette frais
Sel et poivre, au goût

Préparation :

- Étaler 4 feuilles d'aluminium d'épaisseur double d'environ 25 cm (10 pouces) et en badigeonner le centre avec du beurre fondu.

- Déposer ensuite sur chaque feuille 1 pavé de saumon, saler et poivrer, puis ajouter 1/4 de fromage feta coupé en dés.

- Ajouter ensuite sur chaque papillote 1 cuillère à thé de tomates séchées hachées, 1 cuillère à thé d'herbes de Provence, 1 gousse d'ail hachée, ainsi que 1 cuillère à thé de vinaigre balsamique.

- Pour fermer la papillote, préparer 2 feuilles d'aluminium de la même taille que les précédentes et les déposer au-dessus de la préparation. Puis, joindre les feuilles du haut et du bas en les roulant sur elles-mêmes, de manière à former 1 papillote ronde ou ovale.

- Faire cuire les papillotes pendant 14 minutes dans un four préalablement chauffé à 400 °F (200 °C).

- Servir avec 1 bonne tranche de pain frais pour se régaler avec la sauce.

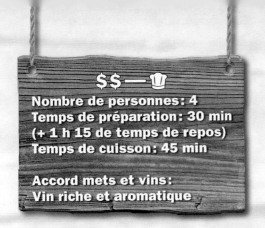

$$—👨‍🍳

Nombre de personnes : 4
Temps de préparation : 30 min
(+ 1 h 15 de temps de repos)
Temps de cuisson : 45 min

Accord mets et vins :
Vin riche et aromatique

Papillotes de saumon au miso et au saké

Ingrédients :

4 pavés de saumon
8 crevettes fraîches
300 g de riz blanc
2 carottes
4 petits oignons verts
1/2 tasse de germes de soya
25 g de beurre
2 c. à soupe de pâte de miso
(spécialité japonaise de soya
fermenté)
2 c. à soupe de sauce mirin
(vinaigre de riz)
2 c. à soupe de saké junmai
Sel et poivre, au goût

Préparation :

- Laver le riz et le laisser égoutter pendant 1 heure.

- Le mettre par la suite dans une casserole remplie d'eau et porter à ébullition à feu moyen. Dès que l'eau bout, réduire à feu doux, couvrir et poursuivre la cuisson pendant 20 minutes. Ensuite, laisser reposer avec le couvercle durant 15 minutes.

- Pendant ce temps, couper les carottes en petits morceaux et les oignons verts en fines rondelles.

- Dans un bol, mélanger la pâte miso avec la sauce mirin et le saké.

- Étaler 4 feuilles d'aluminium d'épaisseur double d'environ 25 cm (10 pouces) et en badigeonner le centre avec du beurre fondu.

- Déposer ensuite sur chaque feuille 1 pavé de saumon, saler et poivrer, puis ajouter un quart des carottes, un quart des oignons verts, un quart des germes de soya, un quart de la préparation à base de miso et terminer le montage avec 2 crevettes crues.

- Pour fermer la papillote, préparer 2 feuilles d'aluminium de la même taille que les précédentes et les déposer au-dessus de la préparation. Puis, joindre les feuilles du haut et du bas en les roulant sur elles-mêmes, de manière à former 1 papillote ronde ou ovale.

- Faire cuire les papillotes pendant 14 minutes dans un four préalablement chauffé à 400 °F (200 °C).

- Pendant ce temps, mélanger dans une casserole le vinaigre de riz, le sucre et le sel, puis chauffer pour dissoudre le tout. Verser ensuite ce mélange sur le riz encore chaud. Servir en accompagnement des papillotes.

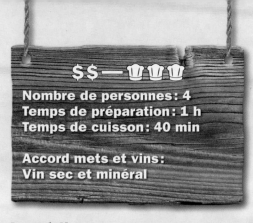

$$\$\$ — ♙♙♙$$

Nombre de personnes : 4
Temps de préparation : 1 h
Temps de cuisson : 40 min

Accord mets et vins :
Vin sec et minéral

Saumon en croûte de sel

Ingrédients :

1 saumon entier évidé avec la tête
600 g de pommes de terre
nouvelles
300 g de beurre
450 g d'épinards frais
3 gousses d'ail
1 c. à soupe d'aneth
1 c. à soupe de romarin
1 c. à thé de fumet de poisson
(voir recette p. 175)
1 c. à thé de vin blanc
4 kg de gros sel

Préparation :

- Laver et écailler le poisson.

- Farcir ensuite l'intérieur du saumon entier avec l'aneth et le romarin hachés.

- Dans un grand plat, verser l'équivalent de 2,5 cm d'épaisseur (1 pouce) de gros sel, puis déposer le saumon. Le recouvrir avec le reste du gros sel et arroser avec un peu d'eau. Cuire pendant 40 minutes dans un four préalablement chauffé à 400 °F (200 °C).

- Pendant ce temps, faire cuire les pommes de terre nouvelles dans de l'eau salée jusqu'à ce qu'elles soient tendres.

- Faire revenir les épinards avec 1 noix de beurre et l'ail haché.

- Pour préparer la sauce, faire réduire dans une casserole le vin blanc et le fumet de poisson jusqu'à ce qu'il ne reste que 1 ou 2 cuillères de liquide. Battre ensuite le mélange à l'aide d'un fouet en incorporant progressivement 250 g de beurre. Rectifier l'assaisonnement au besoin.

Service :

- Déposer le plat de saumon sortant du four au centre de la table, casser la croûte à l'aide d'une grosse cuillère ou d'un manche de couteau et napper de sauce. Servir accompagné des épinards et des pommes de terre nouvelles.

Duo de pétoncles et de saumon en feuille de bananier

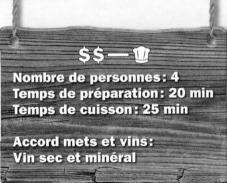

$$-

Nombre de personnes : 4
Temps de préparation : 20 min
Temps de cuisson : 25 min

Accord mets et vins :
Vin sec et minéral

Ingrédients :

4 pavés de saumon
8 pétoncles de taille moyenne
(2 par feuille de bananier)
4 limes (zeste)
1/2 botte d'aneth
2 c. à soupe d'huile d'olive
1 c. à thé de gingembre frais
1 c. à thé de fleur de sel
Feuilles de bananier
Riz basmati

Préparation :

- Râper le zeste de 2 limes et presser les limes pour en extraire le jus. Couper les 2 autres en rondelles.

- Éplucher et râper le gingembre, puis l'ajouter au mélange.

- Dans un plat creux, déposer les 4 pavés de saumon dont la peau aura préalablement été retirée, ainsi que les pétoncles. Ensuite, verser le jus de lime au gingembre au-dessus du poisson. Laisser mariner une quinzaine de minutes.

- Laver soigneusement les feuilles de bananier et les découper de manière à pouvoir facilement confectionner 1 papillote.

- Déposer le saumon et 2 pétoncles sur chaque feuille de bananier. Ajouter un peu de fleur de sel, l'aneth haché, les rondelles de lime avec quelques zestes, 1 filet d'huile d'olive et le reste de la marinade.

- Refermer la feuille de bananier et la ficeler. La déposer ensuite dans un panier cuit-vapeur (marguerite), qui doit lui-même être plongé dans une casserole remplie au tiers d'eau. Couvrir et faire cuire pendant 25 minutes à feu moyen.

- S'accompagne bien de riz basmati.

Céviche de saumon au lait de coco

Nombre de personnes: 4
Temps de préparation: 45 min
Temps de cuisson: 30 min

Accord mets et vins:
Vin blanc sec et aromatique

Ingrédients :

600 g de saumon
2 citrons (jus)
2 tomates mûres
1 tasse de lait de coco
4 feuilles de lime kéfir
1/4 de tasse de copeaux de parmesan
1 tige de citronnelle
Sel et poivre, au goût

Préparation :

- Couper le saumon en tranches fines, puis les étaler sur un grand plat. Saler et poivrer.

- Dans un saladier, mélanger le jus de 2 citrons, les feuilles de lime kéfir, le lait de coco et la citronnelle préalablement épluchée et taillée en rondelles. Verser cette préparation sur le saumon et réserver au réfrigérateur pendant 30 minutes.

Service :

- Tapisser chaque assiette avec de fines tranches de tomates, saler et poivrer au goût, puis disposer au centre quelques tranches de saumon mariné.

- Terminer la présentation en saupoudrant de quelques copeaux de parmesan et servir immédiatement.

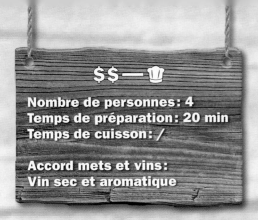

$$ — 👨‍🍳

Nombre de personnes : 4
Temps de préparation : 20 min
Temps de cuisson : /

Accord mets et vins :
Vin sec et aromatique

Sashimis de saumon, sauce ponzu et ananas

Ingrédients :

4 pavés de saumon
1 ananas
1 tasse de wakame (algues)
100 ml de sauce soya
1/4 de tasse de jus de citron
1/4 de tasse de vinaigre de riz
1/4 de tasse de bouillon dashi
(voir recette p. 176)

Préparation :

- Dans un saladier, mélanger la sauce soya, le jus de citron, le vinaigre de riz et le bouillon dashi pour obtenir la sauce ponzu.

- Couper le saumon cru en petits pavés de style sashimi.

Service :

- Disposer le quart des petits pavés de saumon au centre de chaque assiette.

- Couper les ananas en tranches fines et les disposer autour du poisson sur un côté des assiettes.

- Finir la présentation en plaçant de l'autre côté un petit tas de wakame et un petit pot contenant la sauce ponzu.

- N'oubliez pas les baguettes !

SAVIEZ-VOUS QUE ?

- Le bouillon de dashi est une infusion d'algues et de thon blanc salé et séché. Il se trouve également sous forme de granulés ou de poudre déshydratée dans toute bonne épicerie asiatique.

Nigiris de saumon

$$$ — ♙♙♙

Nombre de personnes: 4
Temps de préparation: 1 h
(+ 1 h de temps de repos)
Temps de cuisson: 35 min

Accord mets et vins:
Vin blanc sec et minéral ou saké

Ingrédients :

600 g de saumon
3 tasses de riz à sushis
1 L d'eau
1 c. à thé de wasabi
1 paquet de gingembre mariné
100 ml de sauce soya
6 c. à soupe de vinaigre de riz
5 c. à soupe de sucre
4 c. à thé de sel

Préparation :

- Laver le riz et le laisser égoutter pendant 1 heure, puis le plonger dans une casserole remplie d'eau et porter à ébullition à feu moyen. Dès que l'eau bout, réduire à feu doux, couvrir et laisser cuire pendant 20 minutes. Retirer ensuite la casserole du feu et laisser reposer son contenu avec un couvercle pendant 15 minutes.

- Dans une seconde casserole, mélanger le vinaigre de riz, le sucre et le sel, puis faire chauffer pour assurer la dissolution des ingrédients. Verser ensuite ce mélange sur le riz encore chaud et bien mélanger. Réserver.

- Commencer la confection des nigiris. Pour ce faire, préparer un bol d'eau pour se tremper les mains, car le riz est très collant. Découper le saumon en tranches de 1 cm sur 3 cm. Mouler le riz en forme ovale avec les mains. Mettre une toute petite quantité de wasabi sur le riz et déposer 1 tranche de saumon cru au-dessus. Répéter l'opération pour tous les nigiris.

- Les nigiris se présentent souvent sur une assiette rectangulaire de style japonais ou carrément sur une planche en bois. On peut les servir accompagnés de gingembre mariné tranché finement, de wasabi et d'un petit pot de sauce soya, qui ajoutent de la couleur à la présentation.

Astuce :

- Pour mouler le riz en forme ovale, humidifier d'abord vos mains. Ensuite, prendre la quantité d'une bonne cuillère à soupe dans votre main gauche. La replier légèrement de sorte à former un creux. Puis, avec le majeur et l'index de votre main droite, former le riz en pressant légèrement. Répéter l'opération 2 à 3 fois jusqu'à obtenir un petit ballon de rugby.

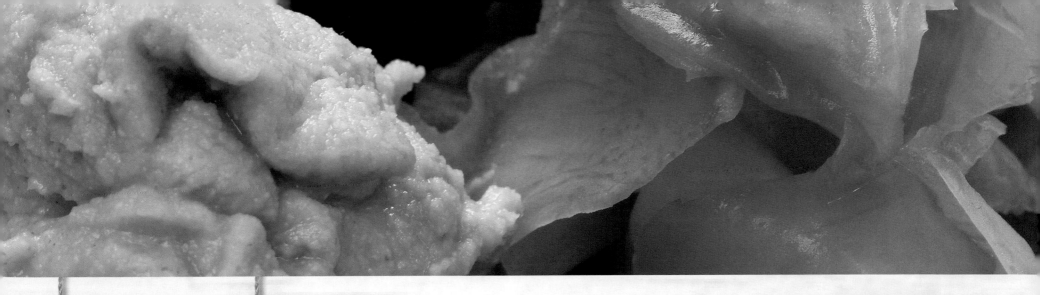

Makis de saumon et tempura de légumes

$$ — 🍳🍳🍳

Nombre de personnes : 4
Temps de préparation : 1 h
(+ 1 h de temps de repos)
Temps de cuisson : 35 min

Accord mets et vins :
Vin blanc sec et minéral ou saké

Ingrédients :

450 g (1 lb) de saumon
3 tasses de riz à sushis
1 tasse de farine
12 asperges vertes
4 carottes
4 feuilles de nori
1 œuf
1 paquet de gingembre mariné
1 c. à thé de wasabi
1 L d'eau
1 tasse de bière blonde
100 ml de sauce soya
6 c. à soupe de vinaigre de riz
5 c. à soupe de sucre
4 c. à thé de sel

Préparation :

- Dans un saladier, mélanger la farine, l'œuf et la bière jusqu'à l'obtention d'une consistance homogène. Laisser reposer ce mélange à tempura recouvert d'un linge humide pendant 1 heure à température ambiante.

- Parallèlement, laver le riz et le laisser égoutter pendant 1 heure.

- Laver les asperges et les carottes. Couper les carottes en 4 dans le sens de la longueur, puis les tremper avec les asperges entières dans la pâte à tempura. Plonger ensuite tous les légumes dans la friteuse pendant 2 minutes ou jusqu'à coloration. Réserver.

- Mettre le riz égoutté dans une casserole remplie d'eau et porter à ébullition à feu moyen. Dès que l'eau bout, réduire à feu doux, couvrir et laisser cuire pendant 20 minutes. Puis, retirer la casserole du feu et laisser reposer son contenu avec un couvercle pendant 15 minutes.

- Dans une seconde casserole, mélanger le vinaigre de riz, le sucre et le sel, et faire chauffer pour assurer la dissolution des ingrédients. Verser ensuite ce mélange sur le riz encore chaud et bien mélanger. Réserver.

- Sur une natte en bambou, déposer 1 feuille de nori et étaler 1 couche de riz de 0,5 cm. Étaler ensuite, dans le sens de la longueur, 1 petite ligne de wasabi, le saumon coupé en lanières de 1 cm sur 5 cm, 1 ou 2 asperges et carottes en tempura, puis rouler le tout à l'aide de la natte en bambou.

- Humecter légèrement l'extrémité de la feuille de nori pour sceller le maki. Répéter l'opération avec les autres makis et réserver au frais jusqu'au repas.

Service :

- Visuellement très attrayant, ce plat ne nécessite pas une grosse présentation. Il suffit de couper le maki en bouchées, de les disposer sur une assiette ou une planche de service, et de les accompagner d'un peu de wasabi, de gingembre mariné tranché finement et d'un petit pot de sauce soya.

$$$—♟
Nombre de personnes: 4
Temps de préparation: 15 min
Temps de cuisson: /

Accord mets et vins:
Vin blanc riche et boisé

Tartare de saumon au vinaigre de framboise

Ingrédients :

600 g de saumon frais
320 g de saumon fumé
1 grosse échalote française
1 salade
2 c. à soupe de mayonnaise
1 c. à soupe de moutarde de Meaux
2 c. à soupe de câpres
3 c. à soupe de vinaigre de framboise
1/2 c. à thé de tabasco
1/4 de botte de ciboulette
8 framboises
Pain baguette
Sel et poivre, au goût

Préparation :

- Éplucher et hacher l'échalote. Ciseler la ciboulette. Hacher les câpres.

- Hacher le saumon frais et le saumon fumé, puis dans un saladier, les mélanger avec la ciboulette, la mayonnaise, le vinaigre de framboise et la moutarde de Meaux. Assaisonner de sel, de poivre et de tabasco.

- Faire griller quelques tranches de pain baguette au four.

Service :

- À l'aide d'un emporte-pièce, mouler les portions de tartare dans les assiettes des convives.

- Disposer à côté quelques croûtons, quelques feuilles de salade et 2 framboises.

$$—▯

Nombre de personnes: 4
Temps de préparation: 30 min
(+ 48 h au réfrigérateur)
Temps de cuisson: /

Accord mets et vins:
Cidre de glace ou vin blanc gras
et boisé

Gravlax de saumon au cidre de glace

Ingrédients :

2 filets de saumon
1/4 de tasse de gros sel
100 ml de cidre de glace
1/4 de tasse de calvados
2 c. à soupe d'aneth
2 c. à thé de poivre blanc moulu
Salade
Pain

Préparation :

- Mélanger dans un bol le sel, le poivre, le cidre de glace, le calvados et l'aneth préalablement haché.

- Étaler cette préparation au-dessus du saumon (côté chair) en malaxant bien, de manière à ce qu'elle pénètre la chair de saumon.

- Disposer 1 filet de saumon dans un grand plat, le côté de la peau contre le plat, et un second par-dessus dans le sens contraire (peau en haut).

- Étendre une pellicule plastique par-dessus les filets, puis recouvrir avec une planche en bois, que l'on aura pris soin de lester avec un poids quelconque (couvercle en fonte, brique, etc.) afin de bien compresser les morceaux de poisson dans le mélange.

- Réserver au réfrigérateur de 24 à 48 heures, en retournant les morceaux aux 12 heures pour assurer une macération uniforme.

- Une fois la macération terminée, rincer rapidement le saumon à l'eau froide, l'éponger avec du papier essuie-tout et le couper en fines tranches comme s'il s'agissait de saumon fumé.

- Servir individuellement avec de la salade et un peu de pain.

$$—🍳🍳
Nombre de personnes: 4
Temps de préparation: 1 h
(+ 24 h de temps de repos)
Temps de cuisson: 30 min

Accord mets et vins:
Vin blanc sec et minéral

Escabèche de saumon

Ingrédients :

450 g (1 lb) de pavés de saumon
2 branches de céleri
2 carottes
2 gousses d'ail
1 oignon blanc
200 ml de vin blanc
1 c. à soupe d'huile d'olive
1 bouquet garni (voir recette
p. 174)
Mayonnaise
Pain

Préparation :

- Émincer les branches de céleri, les carottes, l'ail et l'oignon.

- Dans une marmite, faire revenir l'ail et l'oignon dans l'huile d'olive, puis ajouter les légumes, le bouquet garni et le vin. Laisser mijoter une dizaine de minutes.

- Dans une poêle, faire revenir les pavés de saumon 1 minute de chaque côté, puis les déposer dans un plat creux.

- Recouvrir les pavés avec la préparation de vin blanc et de légumes, couvrir le plat avec une pellicule plastique ou de l'aluminium et mettre au réfrigérateur pendant 24 heures.

Service :

- L'escabèche se sert généralement telle quelle avec un peu de mayonnaise et de pain.

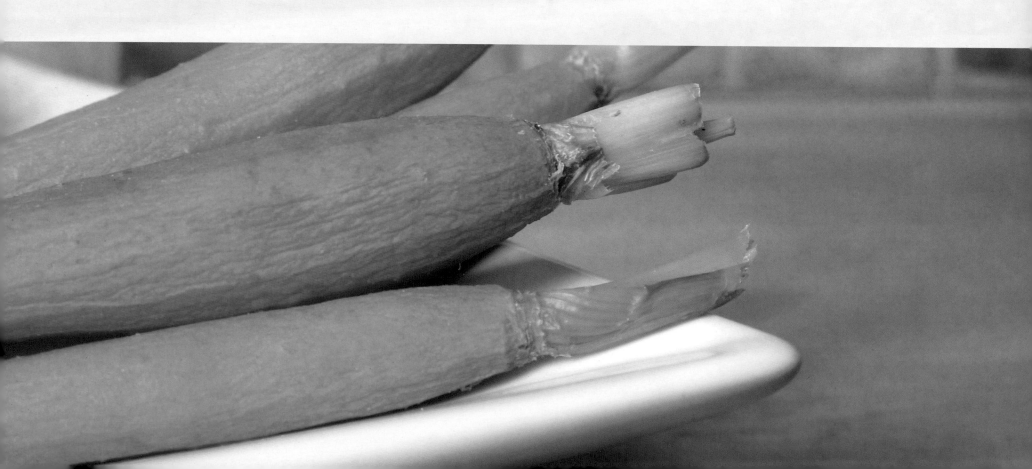

Carpaccio de saumon au pamplemousse

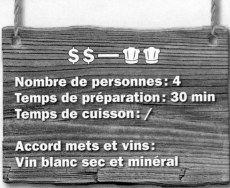

$$—♟♟

Nombre de personnes : 4
Temps de préparation : 30 min
Temps de cuisson : /

Accord mets et vins :
Vin blanc sec et minéral

Ingrédients :

600 g de saumon
4 pamplemousses
1 lime (zeste)
4 c. à soupe d'huile d'olive
Pain
Beurre
Sel et poivre, au goût

Préparation :

- Couper le saumon en tranches très fines, puis les étaler sur 4 assiettes, de manière à les recouvrir complètement. Saler et poivrer.

- Verser ensuite l'équivalent de 1 cuillère à soupe d'huile d'olive sur chaque assiette. Presser le jus de 2 pamplemousses et verser l'équivalent de 2 cuillères à soupe de jus de pamplemousse par assiette. Laisser reposer les assiettes 15 minutes au réfrigérateur.

Service :

- Trancher les 2 pamplemousses restant en rondelles ou en quartiers, afin de décorer le pourtour de l'assiette. Juste avant de servir, râper le zeste de la lime au-dessus de chaque assiette pour donner du goût et de la couleur. Il est également conseillé de servir un peu de pain et de beurre pour accompagner ce plat.

$$—👨‍🍳👨‍🍳

Nombre de personnes : 4
Temps de préparation : 1 h
Temps de cuisson : 5 min

Accord mets et vins :
Vin blanc riche et boisé

Tataki de saumon au sésame et purée de céleri-rave

Ingrédients :

600 g de saumon
2 grosses pommes de terre
1 céleri-rave
1/4 de tasse de crème 35 %
1/4 de tasse de sésame noir
1/4 de tasse de sésame blanc
1/4 de tasse de sauce soya
1/4 de tasse de miel
2 c. à soupe de moutarde de Dijon
1/4 de botte de persil
Sel et poivre, au goût

Préparation :

- Éplucher et tailler le céleri-rave et les pommes de terre en gros morceaux. Dans une marmite, faire bouillir les légumes dans de l'eau jusqu'à ce qu'ils soient tendres, puis les égoutter et en faire une purée manuellement ou en utilisant un robot à petite vitesse. Ensuite, détendre avec la crème jusqu'à l'obtention d'une consistance lisse et onctueuse.

- Trancher le saumon en petits pavés de style sashimi (au final, doit donner 3 à 4 morceaux par personne). Saler, poivrer et badigeonner de moutarde.

- Mélanger les graines de sésame des 2 couleurs dans un saladier, puis y tremper les morceaux de saumon.

- Dans une petite casserole, faire bouillir la sauce soya et le miel. Une fois le mélange chaud, le réserver. Saisir les morceaux de saumon à feu vif et sans matières grasses dans une poêle antiadhésive. Attention, un tataki doit toujours rester cru à l'intérieur, donc il faut juste colorer rapidement le saumon à l'extérieur et le servir immédiatement après.

Service :

- Poser une portion de purée au centre de chaque assiette. À l'aide d'une cuillère, en écraser le centre pour constituer un petit nid.

- Déposer 3 à 4 morceaux de saumon à l'intérieur de chaque nid, puis napper l'assiette d'un peu de sauce soya/miel.

- Terminer la présentation en plantant au centre 1 branche de persil.

Enfourné

$$—👨‍🍳👨‍🍳

Nombre de personnes: 4
Temps de préparation: 1 h
Temps de cuisson: 25 min

Accord mets et vins:
Bière rousse et vin blanc léger

Saumon farci à la choucroute, bière rousse et baies de genièvre

Ingrédients :

4 pavés de saumon
100 g de lardons
300 g de choucroute
3 tasses de pommes de terre grelot
100 ml de crème 35 %
1 tasse de bière rousse
1 tasse de fumet de poisson (voir recette p. 175)
2 c. à soupe de beurre
1/2 c. à thé de baies de genièvre
1 botte de persil
Sel et poivre, au goût

Préparation :

- Dans une marmite, faire bouillir les pommes de terre grelot dans de l'eau salée pendant 10 minutes. Les trancher ensuite en 2, puis les faire légèrement revenir dans une poêle avec 1 noix de beurre. Juste avant la fin de la cuisson, ajouter le persil préalablement haché. Réserver.

- Dans une seconde poêle, faire dorer les lardons coupés en petits dés. Les mélanger par la suite avec la choucroute et les baies de genièvre.

- Inciser les pavés de saumon au centre pour former des portefeuilles, puis garnir chacun d'entre eux avec la préparation à base de choucroute.

- Préchauffer le four à 400 °F (200 °C). Saler, poivrer et disposer les pavés de saumon farcis sur une plaque à rebord, beurrée allant au four. Verser ensuite dessus la bière et le fumet de poisson, puis enfourner pendant 12 minutes.

- Une fois les pavés cuits, récupérer le jus de cuisson et le faire réduire de moitié. Lier ce liquide avec la crème et rectifier l'assaisonnement.

Service :

- Déposer les pavés de saumon farci au centre de 4 assiettes, napper le fond de sauce et disposer autour quelques pommes de terre grelot bien dorées.

$$—👨‍🍳👨‍🍳👨‍🍳

Nombre de personnes: 4
Temps de préparation: 1 h 30
(+ 1 h de temps de repos)
Temps de cuisson: 45 min

Accord mets et vins:
Vin blanc riche et fruité

Crêpes de saumon gratinées au bleu d'Élisabeth

Ingrédients :

Crêpes

200 g de farine
3 œufs
2 tasses de lait
Sel

Saumon

450 g (1 lb) de saumon
1 fromage bleu (bleu d'Élisabeth)
2 c. à soupe de farine blanche
2 tasses de lait
2 échalotes françaises
1/4 de tasse de beurre
1/4 de tasse de vodka
1/2 botte de ciboulette
Sel et poivre, au goût

Préparation :

- Pour faire les crêpes : mélanger la farine, les œufs et ajouter du sel, puis incorporer lentement le lait afin d'éviter que des grumeaux se forment. Laisser reposer la pâte pendant 1 heure, puis cuire une douzaine de crêpes dans une poêle légèrement beurrée. Réserver les crêpes, au chaud sous du papier aluminium.

- Dans une seconde poêle, faire fondre 1/4 de tasse de beurre et ajouter 2 cuillères à soupe de farine blanche. Faire cuire ce roux 1 ou 2 minutes en mélangeant, puis ajouter le lait, la ciboulette, les échalotes hachées, le bleu d'Élisabeth et la vodka. Faire bouillir quelques minutes à feux doux en continuant de bien mélanger.

- Préchauffer le four à 400 °F (200 °C). Couper le saumon en cubes de 1,5 cm (1/2 pouce). Après les avoir salés et poivrés, en disposer plusieurs au centre de chaque crêpe, puis verser une bonne quantité de préparation au bleu d'Élisabeth. Refermer les crêpes en les roulant ou en les pliant en 4.

- Enfourner 15 minutes et napper en fin de cuisson les crêpes de sauce pour que leur surface soit bien gratinée.

Nombre de personnes : 4
Temps de préparation : 1 h 30
Temps de cuisson : 45 min

Accord mets et vins :
Vin blanc riche et boisé

Lasagnes de saumon aux épinards et à la crème

Ingrédients :

600 g de saumon
400 g d'épinards frais
12 feuilles de lasagne
1 tasse de ricotta
150 g de mozzarella
100 g de parmesan
2 c. à soupe de beurre
1 tasse de crème champêtre 35 %
1/4 de tasse d'huile d'olive
Quelques feuilles de salade ou
1 légume vert
Sel et poivre, au goût

Préparation :

- Dans une poêle, faire revenir les épinards équeutés dans un peu de beurre. Saler, poivrer et disposer dans un saladier.

- Ajouter dans ce grand bol la crème, la ricotta, l'huile d'olive, du sel et du poivre. Bien mélanger tous ces ingrédients.

- Préchauffer le four à 400 °F (200 °C). Découper le saumon en lanières de 5 cm (2 pouces).

- Dans le fond d'un plat allant au four, déposer des feuilles de lasagne, puis un tiers de la préparation d'épinards et un tiers de lanières saumon. Saler, poivrer et répéter l'opération 3 fois.

- Ajouter à la fin la mozzarella et le parmesan râpés au-dessus du montage, puis enfourner pendant 45 minutes.

Service :

- Les lasagnes se passent de décoration, car coupées en tranches elles sont déjà très colorées et appétissantes. On peut quand même les accompagner de quelques feuilles de salade ou d'un légume vert.

$—🍴🍴

Nombre de personnes: 4
Temps de préparation: 1 h
Temps de cuisson: 40 min

Accord mets et vins:
Vin riche et boisé

Röstis de saumon au persil

Ingrédients :

1 filet de saumon
1 kg de pommes de terre
150 g d'emmental (en tranches)
2 œufs
1 oignon
4 gousses d'ail
1/2 botte de persil
Sel et poivre, au goût

Préparation :

- Éplucher les pommes de terre, puis les râper avec une râpe à petits trous. Saler, poivrer, et ajouter l'ail, le persil et 1 œuf. Bien mélanger le tout.

- Préparer 4 galettes de pommes de terre avec la préparation. Ensuite, dans une grande poêle, faire fondre le beurre et faire bien dorer les galettes à feu vif.

- Préchauffer le four à 400 °F (200 °C). Couper le filet de saumon en 4. Une fois les galettes cuites, les disposer sur une plaque et les recouvrir de quelques tranches fines d'oignon, d'une belle tranche d'emmental et des pavés de saumon. Enfourner le tout pendant 15 minutes.

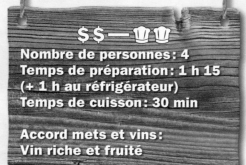

Pavé de saumon à la provençale

Ingrédients :

Polenta

200 g de semoule
1/4 de tasse de parmesan
1 gousse d'ail
2 c. à soupe de beurre
4 c. à thé d'huile d'olive
1 cube de bouillon de poulet
1/2 L d'eau

Pâte provençale

600 g de saumon
200 g de chapelure
1/4 de tasse de tomates séchées
1/4 de tasse d'olives noires dénoyautées
1/4 de tasse d'huile d'olive
2 gousses d'ail
3 c. à soupe d'herbes de Provence

Préparation :

Préparation de la polenta :

- Dans une casserole, faire bouillir 1/2 litre d'eau avec 1 cube de bouillon de poulet, l'ail haché et le beurre. Ajouter la semoule, mélanger et cuire à feu moyen pendant une quinzaine de minutes. Étendre le mélange sur une feuille de papier aluminium, puis rouler de manière à former 1 tube de 6 à 8 cm (2 à 3 pouces) de diamètre. Réserver au réfrigérateur pendant 2 heures. Trancher ensuite des rondelles de polenta de 2 à 3 cm d'épaisseur et les faire revenir dans une poêle avec un peu d'huile d'olive.

Préparation de la pâte provençale :

- Mettre l'ail, les tomates séchées, les olives noires et les herbes de Provence dans un robot culinaire et les mixer en ajoutant progressivement 4 cuillères à soupe d'huile d'olive. Verser la préparation dans un saladier et ajouter de la chapelure jusqu'à l'obtention d'une pâte assez solide.

- Préchauffer le four à 400 °F (200 °C). Saisir le saumon coupé en 4 dans une poêle pour bien le colorer, puis le disposer dans un plat allant au four. Badigeonner sur chaque morceau 1 bonne couche de pâte provençale et enfourner pendant 12 minutes.

$$$—👨‍🍳👨‍🍳👨‍🍳

Nombre de personnes: 4
Temps de préparation: 1 h
Temps de cuisson: 40 min

Accord mets et vins:
Vin riche et boisé

Saumon en croûte de pain d'épices, risotto au cacao

Ingrédients:

Risotto

200 g de riz carnaroli
100 ml de vin blanc
3 tasses de fumet de poisson (voir recette p. 175)
1 oignon blanc
10 g de cacao en poudre
3 c. à soupe de crème 35 %
2 c. à thé d'huile d'olive
1 c. à thé de ras-el-hanout
(mélange d'épices arabes)

Saumon

600 g de saumon
100 g de pain d'épices
1/2 tasse de moutarde de Dijon
6 c. à soupe d'huile de sésame
3 c. à soupe de vinaigre balsamique
2 c. à soupe de beurre ou huile d'olive

Préparation:

- Dans une marmite, faire revenir l'oignon haché dans un peu d'huile d'olive. Ajouter le riz et bien mélanger, de manière à ce que les grains soient bien imbibés d'huile.

- Baisser le feu, puis ajouter le vin blanc et mélanger sans arrêt. Dès que le vin est absorbé, verser 2 louches de fumet de poisson en continuant à mélanger. Répéter l'opération dès que le bouillon est absorbé, et ce, jusqu'à ce que le riz soit cuit, c'est à dire tendre, mais encore légèrement ferme.

- Dans une casserole, faire bouillir la crème, le cacao et le ras-el-hanout, puis verser cette préparation dans le risotto juste avant de servir.

- Prendre le pain d'épices et l'émietter pour en faire une sorte de chapelure. Ensuite, la mélanger avec de la moutarde de Dijon jusqu'à l'obtention d'une pâte assez solide.

- Préchauffer le four à 400 °F (200 °C). Couper le saumon en 4 portions, le saisir dans une poêle avec un peu de beurre ou d'huile d'olive, puis le déposer dans un plat allant au four. Le badigeonner avec la pâte de pain d'épices et enfourner pendant 12 minutes.

Service:

- Déposer un petit monticule de risotto au centre de 4 assiettes, puis surmonter d'un morceau de saumon. Préparer une vinaigrette avec l'huile de sésame et le vinaigre balsamique et en verser quelques filets autour de ce montage.

Saumon sur planche de cèdre

$$—

Nombre de personnes : 4
Temps de préparation : 1 h
(+ 4 h pour la marinade)
Temps de cuisson : 20 min

Accord mets et vins :
Vin sec et minéral

Ingrédients :
Marinade
1/4 de tasse d'huile d'olive
1/4 de tasse de sirop d'érable
3 gousses d'ail
2 c. à soupe de basilic frais

Saumon
600 g de saumon
300 g de riz
4 tomates
1 poivron vert
1 poivron rouge
1 poivron jaune
1 oignon

Préparation :
- Mélanger l'huile d'olive, le sirop d'érable, ainsi que l'ail et le basilic hachés. Couper le saumon en 4, ôter la peau, puis les plonger dans la marinade et réserver au réfrigérateur pendant 4 heures.

- Faire tremper les planches en cèdre dans de l'eau pendant 30 minutes afin de bien les imbiber.

- Broyer les tomates, hacher l'oignon et faire 1 julienne avec les poivrons. Faire revenir le tout dans une casserole à feu moyen avec le mélange à l'huile d'olive. Réserver après la cuisson.

- Préchauffer le four à 400 °F (200 °C). Déposer les morceaux de saumon sur les planches en cèdre, puis enfourner pendant 12 minutes.

Service :
- Servir à même les planches en cèdre sur un sous-plat, en ajoutant quelques légumes sautés et un peu de riz. Effet visuel garanti !

Feuilleté

$$—🍴🍴🍴
Nombre de personnes: 4
Temps de préparation: 1 h 30
Temps de cuisson: 50 min

Accord mets et vins:
Vin sec et fruité

Millefeuille de saumon à l'orange sanguine

Ingrédients :

Crêpes
200 g de farine
3 œufs
2 tasses de lait
Sel

Millefeuille
300 g de saumon fumé
225 g (1/2 lb) de fromage de chèvre frais
6 œufs
2 oranges sanguines
1 tasse de beurre
1 botte de ciboulette
2 c. à thé de vinaigre blanc
Sel

Préparation :

- Faire cuire une douzaine de crêpes (voir la préparation à la p. 52) et les réserver.

- Râper le zeste de 1 orange sanguine, puis presser le jus des 2 fruits.

- Séparer 2 jaunes d'œufs du blanc et les verser dans un cul-de-poule (récipient en inox qui a la forme d'un saladier et dispose d'un fond plat) avec 1/2 cuillère à soupe de jus d'orange sanguine. Saler et fouetter vigoureusement dans un bain-marie. Attention, le bain-marie ne doit pas bouillir sinon les jaunes d'œufs risquent de coaguler.

- Lorsque la préparation est prête (mousse bien aérée), ajouter petit à petit le beurre fondu comme si l'on voulait faire une mayonnaise, puis les zestes et la moitié du jus des oranges sanguines. Une fois encore, faire attention à ne pas en mettre trop à la fois, car la sauce pourrait tourner. Réserver une fois la cuisson terminée.

- Sur 1 première crêpe, étaler quelques lanières de saumon fumé et quelques morceaux de fromage de chèvre frais, parsemer d'un peu de ciboulette ciselée, puis recouvrir d'une autre crêpe. Répéter l'opération jusqu'à l'obtention d'un petit gâteau de crêpes empilées. Enfourner le millefeuille pendant 10 minutes à 400 °F (200 °C).

- Dans de l'eau frémissante légèrement vinaigrée, faire pocher 4 œufs pendant environ 3 minutes, de manière à ce qu'ils restent coulants à l'intérieur. Servir ce plat dès que les œufs sont prêts.

$$—🍳🍳

Nombre de personnes: 4
Temps de préparation: 45 min
Temps de cuisson: 20 min

Accord mets et vins:
Vin sec et aromatique

Nems de saumon

Ingrédients :

400 g de saumon frais
125 g de saumon fumé
100 g de chair de crabe
8 feuilles de brick
1/2 poireau
1 carotte
1 œuf
1/4 de tasse de nuoc-mam (sauce au poisson orientale)
1/4 de tasse d'huile d'arachide
2 c. à soupe de vinaigre de riz
2 c. à soupe de coriandre
Salade frisée ou feuille de chêne
Sel et poivre, au goût

Préparation :

- Découper le saumon frais et le saumon fumé en petits dés. Émincer finement le 1/2 poireau et râper la carotte.

- Dans un bol, mélanger les 2 sortes de saumon, le crabe émietté, la coriandre, l'œuf, du sel et du poivre. Déposer la préparation dans les feuilles de brick, rouler et enfourner à 400 °F (200 °C) pendant 15 minutes.

- Laver la salade et préparer une vinaigrette avec le vinaigre de riz et l'huile d'arachide.

Service :

Déposer 2 nems sur chaque assiette, et les accompagner de feuilles de salade frisée ou de feuille de chêne et de nuoc-mam dans des petits bols pour tremper les nems.

Tourte au saumon

$$-👨‍🍳👨‍🍳👨‍🍳

Nombre de personnes : 4
Temps de préparation : 1 h 30
Temps de cuisson : 1 h

Accord mets et vins :
Vin riche et boisé

Ingrédients :

200 ml de vin blanc
675 g (1 1/2 lb) de saumon
225 g (1/2 lb) de crevettes décortiquées
375 g de chair de crabe ou de homard
200 ml de crème champêtre 35 %
100 ml de fumet de poisson (voir recette p. 175)
1 kg de pâte à tarte
2-3 pommes de terre
1 oignon
1 branche de céleri
3 gousses d'ail
1 jaune d'œuf
2 c. à soupe de beurre
1 c. à soupe de farine
1/2 botte de persil
1 c. à thé de safran
1 c. à thé de thym

Préparation :

- Laver et couper les pommes de terre en petits cubes, puis les blanchir. Émincer le céleri, l'oignon et l'ail.

- Faire pocher le saumon pendant 10 minutes dans le vin blanc et le fumet de poisson. Ensuite, retirer le saumon et l'émietter en prenant soin de garder le jus de cuisson.

- Faire pocher dans ce même jus les crevettes pendant 3 minutes, puis les retirer à l'aide d'une écumoire. Ajouter le safran au bouillon et laisser infuser pendant 10 minutes hors du feu.

- Dans une poêle, faire revenir l'oignon, l'ail et le céleri pendant 5 minutes avec le beurre, puis ajouter le thym et la farine et bien mélanger pendant 1 minute. Verser ensuite la crème et le bouillon au safran, et porter à ébullition. La sauce doit bien recouvrir le dos d'une cuillère.

- Ajouter à cette préparation le saumon, les crevettes, la chair de crabe, le persil haché et les pommes de terre en petits dés. Mélanger délicatement et rectifier l'assaisonnement. Laisser refroidir.

- Beurrer et fariner légèrement un plat à tourte. Abaisser la pâte à tarte, puis en déposer la moitié au fond du plat. Ajouter la préparation de saumon refroidie, puis recouvrir avec l'autre moitié de la pâte. Faire une petite cheminée au centre et dorer le dessus avec du jaune d'œuf. Enfourner de 45 minutes à 1 heure à 375 °F (190 °C). Pour vérifier la cuisson, planter la pointe d'un couteau au centre de la tourte, pour s'assurer qu'elle soit bien chaude.

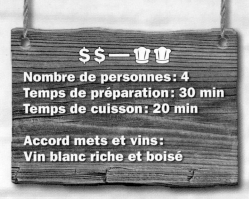

$$—🍴🍴
Nombre de personnes: 4
Temps de préparation: 30 min
Temps de cuisson: 20 min

Accord mets et vins:
Vin blanc riche et boisé

Quiche au saumon et aux asperges

Ingrédients:

300 g de saumon cuit
450 g (1 lb) de pâte à tarte
100 g d'emmental râpé
1 tasse de crème 35 %
3 œufs
2 oignons
1 botte d'asperges
1/4 de botte de ciboulette
Salade de type mâche ou mesclun
Sel et poivre, au goût

Préparation:

- Abaisser la pâte, la disposer dans un plat à tarte, puis la faire précuire pendant 10 minutes dans un four chaud à 400 °F (200 °C).

- Trancher finement les oignons, couper les asperges en petits morceaux de 5 cm (2 pouces) et hacher la ciboulette. Dans une casserole, faire bouillir de l'eau et y blanchir les oignons et les asperges.

- Dans un bol, mélanger les œufs et la crème. Saler et poivrer, puis disposer le saumon, les oignons et les asperges au fond du plat à tarte et verser l'appareil à crème sur le dessus.

- Enfourner pendant 20 minutes à 420 °F (215 °C). Avant de servir, disperser de l'emmental sur la quiche et faire gratiner.

- Accompagner cette quiche d'une bonne salade verte de type mâche ou mesclun.

Pissaladière au saumon

$$ — 👨‍🍳👨‍🍳👨‍🍳

Nombre de personnes: 4
Temps de préparation: 1 h 30
Temps de cuisson: 30 min

Accord mets et vins:
Vin riche et boisé

Ingrédients :

200 g de saumon fumé
12 filets d'anchois
1 kg de pâte à tarte
1 1/2 kg d'oignons jaunes
4 gousses d'ail
12 olives noires séchées
5 clous de girofle
3 c. à soupe de câpres
1 c. à soupe de romarin
1 c. à soupe de thym
2 c. à soupe de noix de Grenoble
concassées
2 c. à soupe de vinaigre de vin
rouge
6 c. à soupe d'huile d'olive
Salade frisée

Préparation :

- Éplucher et émincer les oignons. Ensuite, les faire revenir à feu moyen dans 2 cuillères à soupe d'huile d'olive avec le thym, le romarin, les clous de girofle, les câpres et l'ail hachés. Il faut que les oignons soient bien caramélisés, ce qui peut prendre plus de 15 minutes.

- Préparer une abaisse de pâte et la disposer au fond d'un plat à tarte. Étaler la préparation d'oignons sur cette pâte, puis en alternance une douzaine de filets d'anchois et les lanières de saumon fumé en tournant au-dessus.

- Terminer la pissaladière en disposant une dizaine d'olives noires sur la préparation et enfourner de 25 à 30 minutes à 390 °F (200 °C).

- Préparer une vinaigrette à base d'huile d'olive (4 cuillères à soupe) et de vinaigre de vin rouge (2 cuillères à soupe), et y incorporer les noix de Grenoble concassées. Laver la salade, ajouter la vinaigrette et en servir une portion par personne avec 1 pointe de pissaladière.

$$—♟♟
Nombre de personnes: 4
Temps de préparation: 25 min
Temps de cuisson: 20 min

Accord mets et vins:
Vin riche et boisé

Croustillant (brick) de saumon

Ingrédients :

4 pavés de saumon
4 feuilles de brick
600 g de pommes de terre douces
200 g de carottes
200 g de poireaux
1 tasse de beurre
1 c. à thé de vin blanc
1 c. à thé de fumet de poisson
(voir recette p. 175)
100 ml de crème 35 %
Sel et poivre, au goût

Préparation :

- Éplucher les carottes et les râper finement. Laver les poireaux et les émincer. Dans une poêle, faire revenir de 2 à 3 minutes les légumes à feu moyen avec 50 g de beurre, puis laisser refroidir une quinzaine de minutes.

- En attendant, faire réduire dans une seconde poêle le vin blanc et le fumet de poisson quasiment à sec, jusqu'à ce qu'il ne reste plus que 1 ou 2 cuillères de liquide dans le plat. Monter ensuite la sauce à l'aide d'un fouet en incorporant le reste de beurre petit à petit. Réserver.

- Disposer au centre de 4 feuilles de brick, 2 cuillères à soupe de carottes et de poireaux, puis le pavé de saumon. Saler, poivrer et envelopper toute la garniture avec la feuille de brick. Enfourner les feuilletés sur une plaque pendant 12 minutes à 420 °F (215 °C).

- Éplucher les pommes de terre douces, puis les faire bouillir dans de l'eau salée jusqu'à ce qu'elles soient cuites. Ensuite, les égoutter et en faire une purée, puis y incorporer un peu de crème liquide.

Service :

Trancher chaque feuilleté en 2 et le disposer au centre d'une assiette. Accompagner d'un peu de purée sur un côté et napper de sauce.

$$ — ♙♙♙
Nombre de personnes : 4
Temps de préparation : 1 h 30
Temps de cuisson : 1 h

Accord mets et vins :
Vin riche et boisé

Saumon Wellington

Ingrédients :

2 filets de saumon entier
1 kg de pâte feuilletée
200 g d'épinards
100 g de châtaignes
4 oignons
4 gousses d'ail
1 jaune d'œuf
1 c. à soupe de thym
1/2 botte de persil
Sel et poivre, au goût

Préparation :

- Éplucher et hacher les oignons et l'ail, puis les faire revenir dans un peu de beurre jusqu'à ce qu'ils deviennent translucides.

- Ajouter le thym, les châtaignes et les épinards frais. Saler, poivrer, ajouter le persil haché et laisser refroidir.

- Étaler la pâte feuilletée pour qu'elle soit de la longueur des filets de saumon. Enlever la peau de ces derniers, saler, poivrer, puis en déposer 1 sur la pâte. Étendre la préparation aux légumes par-dessus, puis déposer le deuxième filet dans le sens inverse (tête sur queue). Saler et poivrer de nouveau, avant de recouvrir une nouvelle fois avec de la pâte feuilletée.

- Bien fermer le gros chausson, le dorer avec un pinceau au jaune d'œuf, le disposer sur une plaque à pâtisserie antiadhésive, puis l'enfourner pendant 1 heure à 380 °F (190 °C).

Tarte flammée au saumon

$$—♙♙♙

Nombre de personnes : 4
Temps de préparation : 1 h 30
(+ 4 h de temps de repos)
Temps de cuisson : 20 min

Accord mets et vins :
Vin riche et boisé

Ingrédients :

400 g de saumon fumé
400 g de farine
1 tasse d'eau
1 tasse de crème sure
4 oignons
1 sachet de levure
1/4 c. à thé de muscade
1 pincée de sel
1 pincée de poivre

Préparation :

Préparation de la pâte à pain :

- Verser la levure dans 2 cuillères à soupe d'eau tiède. Laisser reposer 15 minutes et mélanger.

- Dans un grand bol, verser la farine, l'eau tiède, le sel et la levure. Pétrir jusqu'à ce que la pâte soit lisse et élastique.

- Laisser la pâte lever pendant 2 heures dans un endroit tiède, à l'abri des courants d'air, en prenant soin de la recouvrir d'un linge humide.

- Par la suite, pétrir de nouveau la pâte et la laisser encore reposer pendant 2 heures.

Préparation de la tarte flammée :

- Émincer finement les oignons et les faire blanchir dans une casserole d'eau bouillante.

- Dans un bol, assaisonner la crème avec le sel, le poivre et la pincée de muscade. Bien mélanger le tout. Couper le saumon fumé en petits morceaux.

- Abaisser 125 g de pâte à pain, de manière à ce que la tarte soit très mince (2 à 3 mm d'épaisseur). Ensuite, la poser sur une plaque (ou à même la pelle à enfourner si la cuisson est réalisée dans un four de boulanger).

- Avec une spatule, étaler la crème sure assaisonnée, puis disperser, sur toute la surface de la tarte, 50 g d'oignons émincés, 100 g de saumon et l'aneth haché. Cuire dans un four très chaud (450 °F à 480 °F – 230 °C à 250 °C) pendant environ 5 minutes.

SAVIEZ-VOUS QUE ?

La cuisson traditionnelle d'une tarte de ce type au feu de bois dans un four de boulanger se fait en 2 ou 3 minutes selon la température du four. Les flammes lèchent la tarte, ce qui lui vaut son nom de tarte flammée.

Pizza au saumon

$$—🍳🍳🍳

Nombre de personnes: 4
Temps de préparation: 45 min
(4 h 15 de temps de repos)
Temps de cuisson: 15 min

Accord mets et vins:
Vin riche et boisé

Ingrédients :

400 g de saumon fumé
400 g de farine
200 g de cheddar
24 olives noires séchées
6 tomates fraîches
4 oignons
1 tasse d'eau
100 ml de purée de tomates
1 sachet de levure
2 c. à soupe d'herbes de Provence
1/2 c. à thé de sel

Préparation :

- Verser la levure dans 2 cuillères à soupe d'eau tiède. Laisser reposer pendant 15 minutes et mélanger de nouveau.

- Dans un grand saladier, verser la farine, l'eau tiède, le sel et la levure. Pétrir jusqu'à ce que la pâte soit lisse et élastique.

- La laisser lever pendant 2 heures dans un endroit tiède, à l'abri des courants d'air, recouverte d'un linge humide.

- Pétrir à nouveau et laisser encore reposer 2 heures.

- Abaisser 125 g de pâte à pain, puis la poser sur une plaque (ou à même la pelle à enfourner si la cuisson est faite dans un four de boulanger).

- Avec une spatule, étaler la purée de tomates, 50 g d'oignons émincés, les tranches de tomates fraîches, les tranches de saumon fumé, les herbes de Provence, puis terminer avec le fromage râpé et les olives.

- Cuire dans un four préalablement chauffé à 450 °F (230 °C) pendant 12 minutes environ.

Pain de saumon

Nombre de personnes : 4
Temps de préparation : 30 min
Temps de cuisson : 30 min

Accord mets et vins :
Vin sec et fruité

Ingrédients :

400 g de saumon kéta en boîte
100 g de crevettes de Matane cuites
4 œufs
3 tranches de pain de mie
1 tasse de crème sure
1/4 de botte de ciboulette
Salade mesclun
Sel et poivre, au goût

Préparation :

- Dans un grand saladier, battre les œufs, saler, poivrer et ajouter la crème sure.

- Tailler le pain de mie en petits morceaux et les mettre à tremper dans la préparation. Ajouter ensuite les crevettes et le saumon. Bien écraser le tout à l'aide d'une fourchette, puis verser le mélange obtenu dans un moule à gâteau beurré.

- Faire cuire au bain-marie pendant 30 minutes à 375 °F (190 °C), puis réserver au réfrigérateur

Service :

Servir froid avec de la salade, ou faire revenir quelques tranches dans un peu de beurre pour servir chaud.

Salade romaine au saumon fumé et à l'aneth

$ — 👨‍🍳

Nombre de personnes : 4
Temps de préparation : 25 min
Temps de cuisson : /

Accord mets et vins :
Vin blanc léger et fruité

Ingrédients :

150 g de saumon fumé
4 c. à thé de crème 35 %
2 c. à thé de moutarde de Dijon
4 c. à thé de câpres
1 c. à thé de porto
1/4 de botte d'aneth
1 salade romaine

Préparation :

- Laver la salade romaine et la couper à la taille désirée. Découper le saumon fumé en fines lanières et hacher les câpres et l'aneth.

- Dans un bol, mélanger la moutarde, le porto, le sel et le poivre. Ajouter au mélange la crème, puis l'aneth et les câpres hachés. Ajuster la quantité de crème pour que la sauce ait une consistance onctueuse.

Service :

- Mélanger la salade et la sauce dans un saladier, en déposer une portion au centre de chaque assiette, puis disperser quelques lanières de saumon par-dessus.

- Pour la décoration, on peut rajouter quelques câpres entières et quelques tomates cerises coupées en quartiers sur le pourtour des assiettes.

$—♙

Nombre de personnes : 4
Temps de préparation : 20 min
Temps de cuisson : /

Accord mets et vins :
Vin blanc léger et minéral

Wrap de fromage de chèvre, saumon fumé et canneberges

Ingrédients :

150 g de saumon fumé
4 grandes tortillas
450 g (1 lb) de fromage de chèvre frais
1/4 de tasse de canneberges séchées
3 c. à soupe de noix de Grenoble
1 c. à soupe de miel
Laitue frisée
Sauce au yogourt (voir recette p. 177)

Préparation :

- Mélanger dans un bol, à l'aide d'une fourchette, le fromage de chèvre, le miel, les canneberges séchées et les noix de Grenoble.

- Sur un plan de travail propre, déposer les tortillas et étaler sur chacune d'entre elles la préparation. Garnir ensuite chaque wrap de laitue et de saumon fumé, puis assaisonner.

- Rouler fermement les tortillas sur elles-mêmes et les maintenir fermées avec des cure-dents ou du papier aluminium.

Service :

- Peut être consommé tel quel, ou bien coupé en fines tranches et disposé dans un plat de présentation avec en son centre un bol de sauce au yogourt.

$$—♙♙

Nombre de personnes : 4
Temps de préparation : 1 h 30
Temps de cuisson : 30 min

Accord mets et vins :
Vin blanc puissant et
aromatique

Caviar d'aubergines, croustilles de parmesan au cumin et saumon fumé

Ingrédients :

160 g de saumon fumé
100 g de parmesan
4 aubergines
2 oignons
1 poivron rouge
1 poivron jaune
1/2 citron (jus)
1 c. à soupe de sésame
1 c. à soupe de cumin
3 c. à soupe d'huile d'olive
Persil
Sel et poivre, au goût

Préparation :

- Couper les aubergines dans le sens de la longueur, puis les disposer sur une plaque en prenant soin de mettre la peau contre le plat. Saler, poivrer et badigeonner d'un peu d'huile d'olive. Ensuite, enfourner à 400 °F (200 °C) pendant 30 min.

- Pendant la cuisson, couper les poivrons et les oignons en petits dés et les faire sauter dans une poêle avec un peu d'huile d'olive.

- Une fois les aubergines cuites et refroidies une quinzaine de minutes, couper le parmesan en cubes. Ensuite, les déposer sur une plaque antiadhésive et les enfourner à 400 °F (200 °C) pendant 2 minutes. À mi-cuisson, saupoudrer un peu de cumin sur chaque tuile de parmesan fondu. Lorsque leur couleur brunit, sortir les tuiles du four et les laisser refroidir sur un linge ou un essuie-tout.

- Évider les aubergines tièdes à l'aide d'une cuillère à soupe. Hacher la pulpe ainsi récupérée dans un grand bol et y ajouter les poivrons et oignons en dés, le sésame, le persil haché, le jus du 1/2 citron et 1 trait d'huile d'olive. Bien mélanger et garder au frigo avant de servir.

Service :

- Déposer une généreuse portion de caviar d'aubergines au centre d'une grande assiette de présentation.

- Déposer autour de la préparation les tuiles de parmesan en formant un éventail, puis rouler le saumon fumé sous forme de petits cigares et les déposer sur le pourtour de l'assiette.

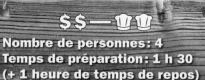

$$—♙♙
Nombre de personnes: 4
Temps de préparation: 1 h 30
(+ 1 heure de temps de repos)
Temps de cuisson: 15 min

Accord mets et vins:
Vodka/vin blanc léger et minéral

Saumon fumé et son caviar sur blinis au yogourt

Ingrédients :

150 g de saumon fumé
60 g de caviar de saumon
1 citron
1 œuf
1 sachet de levure chimique
1/2 tasse de crème sure
3/4 de tasse de yogourt
2 c. à soupe de lait
1 botte de ciboulette
Sel et poivre, au goût

Préparation :

- Séparer le blanc et le jaune d'œuf, puis monter le blanc en neige.

- Avec un fouet, mélanger dans un saladier le yogourt, le jaune d'œuf, la farine, le lait et la levure jusqu'à l'obtention d'une consistance homogène. Incorporer dans cette préparation le blanc en neige, saler et poivrer. Laisser reposer la pâte pendant 1 heure au réfrigérateur.

- Faire cuire dans une poêle antiadhésive cette pâte sous forme de petites galettes. Tenir au chaud ou réchauffer au moment de servir avec le saumon fumé.

Service :

- Déposer 3 blinis au fond de chaque assiette, puis y disposer en étages 1 petite tranche de saumon fumé, 1 cuillère à thé de crème sure et, enfin, une généreuse portion de caviar de saumon.

- Décorer les assiettes avec un peu de ciboulette ciselée et 1 quartier de citron.

Œufs cocotte au saumon fumé, au safran et au raifort

Nombre de personnes : 4
Temps de préparation : 30 min
Temps de cuisson : 15 min

Accord mets et vins :
Vin blanc gras et fruité

Ingrédients :

120 g de saumon fumé
100 ml de crème à cuisson 35 %
4 œufs
1 c. à thé de beurre
1 pain anglais
1 c. à thé de raifort
1 c. à thé de safran
Sel et poivre
Eau

Préparation :

- Beurrer 4 ramequins, en n'oubliant pas d'en saler et poivrer le fond.

- Dans une casserole, faire bouillir pendant 5 minutes la crème, le safran et le raifort. Verser un fond de cette préparation dans chaque ramequin, puis y casser 1 œuf en faisant bien attention à ne pas en percer le jaune.

- Couper le saumon en petits morceaux et en disperser sur la préparation. Trancher le pain en forme de mouillettes et les faire dorer au four.

- Déposer les ramequins dans un plat allant au four, il doit y avoir 2,5 cm d'eau au fond. Faire cuire à 350 °F (180 °C) de 6 à 10 minutes, selon le four utilisé. Attention, surveiller en tout temps pour éviter de trop cuire les œufs, dont le blanc doit être à peine cuit, et le jaune encore liquide.

Service :

- Aussitôt sortis du four, servir ces œufs accompagnés des mouillettes à table. On peut, pour mettre un peu plus de couleur dans la présentation, faire des variantes de cette recette en ajoutant à la préparation des épices (curry, herbes de Provence, etc.) ou des légumes (concassée de tomates, asperges, etc.). L'imagination gourmande n'a pas de limites !

Fettuccinis à la sauce au Ricard, au saumon fumé et au thym

Ingrédients :

200 g de saumon fumé
450 g de fettuccinis
2 échalotes françaises
1/4 de tasse de crème à cuisson 35 %
200 ml de fumet de poisson (voir recette p. 175)
1 c. à soupe de câpres
1 bulbe de fenouil
1 botte de thym frais
1 c. à soupe d'huile d'olive
3 c. à soupe de Ricard
1 pincée de sel

Préparation :

- Hacher le fenouil et le faire revenir pendant une dizaine de minutes à feu moyen dans une poêle avec un peu d'huile d'olive.

- Pendant la cuisson du fenouil, faire cuire les pâtes dans une marmite d'eau avec 1 pincée de sel.

Encuite, ajouter au fenouil les échalotes, les câpres et le thym hachés. Faire encore revenir la préparation pendant 5 minutes en remuant, puis flamber au Ricard et ajouter le fumet de poisson.

- Réduire le feu. Laisser réduire le mélange de moitié, puis ajouter la crème et laisser bouillir pendant quelques minutes. Juste avant de servir, ajouter de fines tranches de saumon fumé dans la sauce, en faisant attention à ce qu'elle ne bouille plus.

Service :

- À l'aide d'une fourchette et d'une cuillère, composer 3 petits îlots de pâtes dans chaque assiette. Ensuite, napper généreusement chaque îlot de sauce et décorer avec 1 branche de thym.

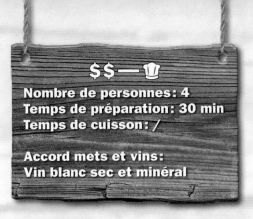

$$—🍳
Nombre de personnes: 4
Temps de préparation: 30 min
Temps de cuisson: /

Accord mets et vins:
Vin blanc sec et minéral

Le traditionnel scandinave

Ingrédients :

450 g (1 lb) de saumon fumé
1 oignon blanc
1/2 tasse de crème sure
4 c. à thé de câpres
2 c. à soupe d'huile d'olive
1 pain baguette
1 botte de persil
1 citron
Sel

Préparation :

- Hacher la moitié du persil et le mélanger dans un bol avec l'huile d'olive.

- Trancher le pain baguette en fines tranches, puis les disposer sur une plaque allant au four. Badigeonner les tranches de pain avec la préparation d'huile et de persil et les faire dorer au four en position grill. Une fois un côté des croûtons coloré, les retourner et répéter l'opération.

- Éplucher, puis trancher l'oignon blanc et le citron en fines rondelles. Les étaler sur une assiette, saler et les laisser dégorger une quinzaine de minutes.

Service :

- Déposer le saumon fumé, soit au centre d'un plat de présentation ou de 4 assiettes individuelles. Disposer autour les câpres, les tranches d'oignon et de citron et 1 noix de crème sure, puis les croûtons en éventail.

$$—

Nombre de personnes: 4
Temps de préparation: 45 min
Temps de cuisson: 10 min

Accord mets et vin:
Vin mousseux

Rouleaux de saumon fumé aux crevettes et au sésame

Ingrédients :

300 g de saumon fumé
350 g (3/4 de lb) de petites crevettes cuites décortiquées
1/4 de tasse de crème sure
2 poivrons rouges
4 gousses d'ail
2 c. à soupe de beurre
1/4 de tasse de sésame
Sel et poivre, au goût

Préparation :

- Laver et égrener les poivrons, puis les hacher finement avec l'ail. Ensuite, saler et poivrer le tout et faire revenir dans une poêle beurrée pendant une dizaine de minutes. Cette cuisson terminée, laisser refroidir la préparation dans un saladier au frigo.

- Hacher finement les crevettes et les incorporer au mélange refroidi, puis ajouter la crème sure et vérifier l'assaisonnement.

- Disposer les tranches de saumon fumé sur une planche, puis étaler 1 généreuse couche de préparation sur chacune d'entre elles. Rouler ces tranches sur elles-mêmes afin d'obtenir de petits rouleaux, que l'on trempera par la suite dans le sésame pour en recouvrir la surface extérieure. Piquer 1 cure-dent sur le rouleau tous les centimètres, puis couper entre chaque cure-dent afin d'obtenir de petits morceaux.

Service :

- Dans une assiette, parsemer des graines de sésame, puis déposer les rouleaux.

$$—👨‍🍳

Nombre de personnes: 4
Temps de préparation: 30 min
   (+ 1 h temps de repos)
Temps de cuisson: /

Accord mets et vins:
Vin blanc riche et aromatique

Bruschettas au saumon fumé

Ingrédients :

120 g (1/4 de lb) de saumon fumé
5 tomates mûres
5 gousses d'ail
2 échalotes françaises
1/4 d'une botte de basilic
1/4 d'une botte d'origan
3 c. à soupe d'huile d'olive
1 pain baguette
Sel et poivre, au goût

Préparation :

- Couper les tomates en petits dés, puis ajouter le basilic, 3 gousses d'ail, l'origan, le saumon fumé et les échalotes soigneusement hachées.

- Saler, poivrer et ajouter 1 filet d'huile d'olive à cette préparation. Bien mélanger tous les ingrédients et réserver à température ambiante pendant 1 heure.

- Verser le mélange à bruschettas dans une passoire pour en retirer l'excès de jus. Couper de fines tranches de pain baguette et les frotter avec un peu d'ail, puis les faire dorer au four (position grill) des deux côtés. Sortir les croûtons du four et déposer 1 bonne cuillère de bruschetta sur chacun d'entre eux.

Service :

- Les bruschettas sont par essence déjà très colorées, donc il suffit de les disposer sur un plat de présentation ou sur des assiettes individuelles pour qu'elles s'envolent en l'espace de quelques minutes.

$$ — 👨‍🍳

Nombre de personnes : 4
Temps de préparation : 30 min
Temps de cuisson : 20 min

Accord mets et vins :
Vin mousseux

Galettes de saumon fumé au parmesan

Ingrédients :

200 g de saumon fumé
200 g de parmesan en poudre
2 œufs
1 noix de beurre
1/2 botte de ciboulette
1/2 tasse de mayonnaise maison
(voir recette p. 111)
1 c. à thé de safran
Sel et poivre, au goût

Préparation :

- Ciseler la ciboulette.

- Dans un bol, battre les œufs à l'aide d'une fourchette, puis y ajouter le parmesan, la ciboulette, du sel et du poivre au goût. Le mélange doit avoir la consistance d'une pâte à frire (entre solide et liquide).

- Faire chauffer une poêle à feu vif et y faire fondre 1 noix de beurre. Ensuite, tremper 1 tranche de saumon fumé de la taille d'une bouchée (10 g) dans la préparation afin de bien l'enrober, puis la faire cuire de chaque côté pendant 2 minutes. Garder chaque morceau de saumon cuit au chaud sur une plaque recouverte de papier aluminium.

- Préparer la mayonnaise (voir recette p. 111) et y ajouter un peu de safran pour le goût comme pour la couleur.

Service :

- Disposer les galettes les unes sur les autres sur une assiette de présentation et les accompagner d'un bol rempli de mayonnaise fraîche légèrement safranée. Un régal !

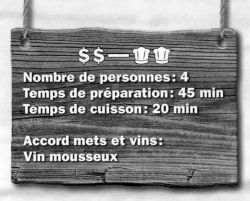

$$—👨‍🍳👨‍🍳

Nombre de personnes : 4
Temps de préparation : 45 min
Temps de cuisson : 20 min

Accord mets et vins :
Vin mousseux

Pics de feta glacés au vinaigre balsamique

Ingrédients :
200 g de saumon fumé
200 g de feta
150 g de sucre
200 g d'olives noires
200 ml de vinaigre balsamique
2 c. à soupe de thym séché

Préparation :

- Dans une casserole, mélanger le vinaigre balsamique et le sucre, puis faire réduire au quart le liquide à feu moyen. Cela devrait prendre une vingtaine de minutes. Une fois cette opération effectuée, laisser refroidir le mélange obtenu à température ambiante dans une assiette à soupe, jusqu'à ce qu'il ait une consistance visqueuse et collante.

- Pendant ce temps, couper le fromage feta en cubes de 1 cm et embrocher chacun d'entre eux sur 1 cure-dent. Garder au réfrigérateur.

- Tremper 2 des faces des cubes de feta (vis-à-vis l'une de l'autre) dans le vinaigre réduit, puis dans le thym séché préalablement haché dans une seconde assiette à soupe. Au final, on doit donc voir des cubes de fromage avec des faces blanches et noires en quinconce.

- Composer les brochettes en piquant sur chaque cure-dent, au-dessus du cube de fromage feta, un peu de saumon fumé et 1 olive noire.

Service :

- Avec le reste de réduction de vinaigre balsamique, on peut quadriller le fond d'une assiette de présentation blanche avant d'y disposer les brochettes.

Grillé

$$—

Nombre de personnes: 4
Temps de préparation: 1 h 30
(+ 1 h de temps de repos)
Temps de cuisson: 40 min

Accord mets et vins:
Vin blanc sec et aromatique

Marinade de saumon barbecue

Ingrédients :

450 g (1 lb) de saumon
2 oignons jaunes
1 poivron vert
3 gousses d'ail
100 ml de vin rouge
2 tasses de bouillon de volaille
3/4 de tasse de concentré de tomates
4 c. à soupe de miel
1 c. à soupe de moutarde
1/4 de tasse d'huile d'olive
6 c. à soupe de sauce Worcestershire
1 c. à soupe de vinaigre de vin rouge

Préparation :

- Dans une marmite, verser l'huile d'olive et faire revenir les oignons et l'ail haché, puis les poivrons coupés en petits dés.

- Ajouter le reste des ingrédients et laisser la préparation frémir pendant 40 minutes.

- Laisser refroidir la sauce, puis couper le saumon en gros cubes et laisser les morceaux mariner pendant 1 heure.

- Garnir ensuite les brochettes avec le poisson et les légumes de votre choix (oignons, poivrons, champignons, tomates, etc.) et faire griller au barbecue.

$$—🔔

Nombre de personnes: 4
Temps de préparation: 1 h 30
(+ 1 h de temps de repos)
Temps de cuisson: 10 min

Accord mets et vins:
Vin blanc sec et aromatique

Marinade de saumon exotique

Ingrédients :

450 g (1 lb) de saumon
12 crevettes
1/2 ananas frais
1/4 de tasse d'huile de tournesol
1/4 de tasse de jus d'ananas
1/4 de tasse de sherry
(amontillado ou xérès sec)
3 c. à soupe de sésame
2 c. à soupe de beurre
Sel et poivre, au goût

Préparation :

- Dans un plat assez creux, mélanger l'huile de tournesol, le sherry et le jus d'ananas. Faire ensuite mariner le saumon coupé en cubes dans ce mélange pendant 1 heure.

- Durant ce temps, couper le 1/2 ananas en gros cubes, ainsi que les tomates cerises.

- Composer par la suite les brochettes en alternant saumon, ananas, crevettes et tomates.

- Faire fondre le beurre et en badigeonner les brochettes. Les tremper ensuite dans le sésame. Saler, poivrer et les faire griller pendant 10 minutes sur le barbecue.

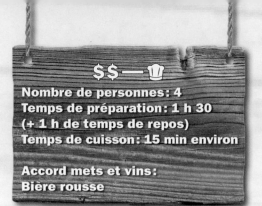

$$—👨‍🍳

Nombre de personnes: 4
Temps de préparation: 1 h 30
(+ 1 h de temps de repos)
Temps de cuisson: 15 min environ

Accord mets et vins:
Bière rousse

Marinade de saumon à la bière rousse

Ingrédients :

4 darnes de saumon
2 oignons jaunes
2 courgettes
2 poivrons rouges
2 fenouils
2 citrons
1 aubergine
2 c. à soupe de cassonade
1/4 de tasse de bière rousse
5 c. à soupe de soya
4 c. à thé d'huile d'olive
1/2 botte de persil
Sel et poivre, au goût

Préparation :

- Mélanger le soya, la bière, le persil, la cassonade, le citron coupé en tranches et 2 cuillères à thé d'huile d'olive. Saler et poivrer.

- Faire mariner les darnes de saumon dans cette préparation pendant 1 heure et laisser reposer au réfrigérateur.

- Couper tous les légumes en gros cubes pour composer des brochettes.

- Faire griller le poisson mariné et les brochettes avec 1 filet d'huile d'olive jusqu'à la cuisson désirée.

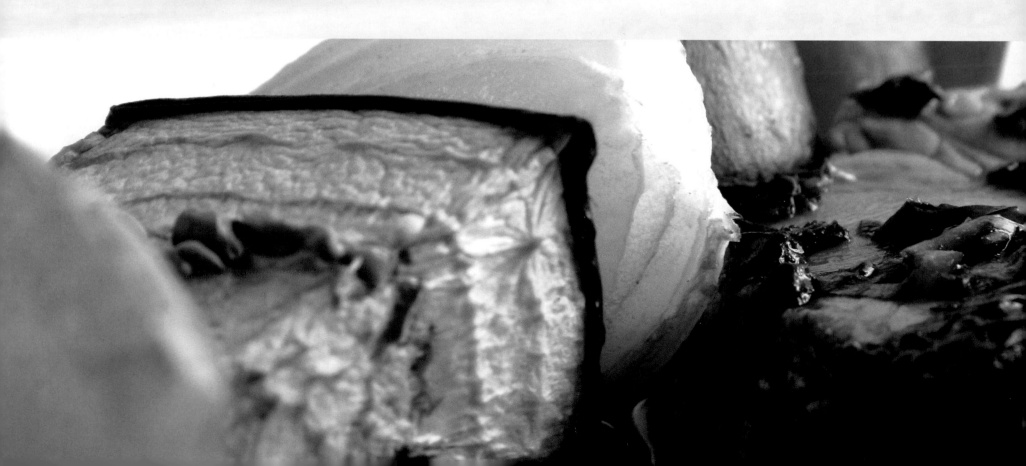

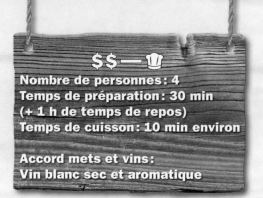

$$—♟

Nombre de personnes: 4
Temps de préparation: 30 min
(+ 1 h de temps de repos)
Temps de cuisson: 10 min environ

Accord mets et vins:
Vin blanc sec et aromatique

Marinade de saumon au yogourt et à l'estragon

Ingrédients :

450 g (1 lb) de saumon
200 ml de vin blanc
3 échalotes françaises hachées
1 lime (jus)
1/4 de tasse de yogourt nature
1 c. à soupe d'huile d'olive
3 c. à soupe d'estragon
1 c. à thé de thym
1 c. à soupe de curcuma

Préparation :

- Dans un saladier, presser le jus de la lime et mélanger tous les ingrédients. Déposer le saumon coupé en cubes pour les brochettes. Laisser mariner le tout pendant 1 heure.

- Composer ensuite les brochettes avec les légumes désirés (oignons, poivrons, tomates, etc.) et les morceaux de saumon, puis faire griller sur le barbecue.

Marinade de saumon à la moutarde et au cerfeuil

$$—👨‍🍳
Nombre de personnes : 4
Temps de préparation : 1 h 30
(+ 1 h de temps de repos)
Temps de cuisson : 10 min environ

Accord mets et vins :
Vin blanc sec et aromatique

Ingrédients :

500 g de saumon
4 c. à thé de vin blanc doux
100 g d'olives vertes dénoyautées hachées
2 échalotes françaises hachées
1 citron (jus)
6 c. à soupe de moutarde de Dijon
1/4 de tasse de cerfeuil
1/4 de tasse d'huile d'olive

Préparation :

- Dans un saladier, presser le jus du citron et mélanger tous les ingrédients. Déposer ensuite le saumon coupé en cubes. Laisser mariner le tout pendant 1 heure.

- Composer ensuite les brochettes avec les légumes désirés (oignons, poivrons, tomates, etc.) et les morceaux de saumon, puis faire griller sur le barbecue.

$$$ — 🍴🍴
Nombre de personnes : 4
Temps de préparation : 40 min
Temps de cuisson : 20 min

Accord mets et vins :
Vin blanc riche et boisé

Darnes de saumon grillées, fougasse et brie fondu aux herbes de Provence

Ingrédients :

4 darnes de saumon
400 g de brie
4(X) g d'épinards
2 c. à soupe d'herbes de Provence
4 c. à thé d'huile d'olive
1 fougasse (pain brioché aux tomates séchées et aux olives noires)

Préparation :

- Découper le brie en tranches de 1/4 de pouce (6 mm). Les déposer dans 4 bols, en prenant soin de mettre quelques herbes de Provence entre chaque couche de fromage. Enfourner 15 minutes dans un four préalablement chauffé à 300 °F (150 °C). Attention, le brie ne doit pas cuire ni faire de bulles, mais simplement fondre.

- Laver les épinards, puis les faire revenir dans un peu d'huile d'olive. Assaisonner, puis réserver.

- Dans l'attente, faire griller les darnes de saumon avec 1 filet d'huile d'olive dans une poêle.

- Pour finir, faire dorer quelques belles tranches de fougasse au four, pour que les convives les trempent dans le brie fondu, et servir avec 1 darne de saumon.

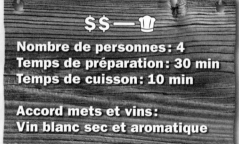

$$—🍴

Nombre de personnes: 4
Temps de préparation: 30 min
Temps de cuisson: 10 min

Accord mets et vins:
Vin blanc sec et aromatique

Brochettes de saumon au tofu et aux oignons cippolini

Ingrédients :

450 g (1 lb) de saumon
150 g de tofu
8 oignons cippolini
1 lime (jus)
3 c. à soupe d'huile de sésame
1 c. à soupe d'huile d'olive
Salade feuille de chêne

Préparation :

- Dans un bol, mélanger le tofu coupé en petits dés avec le jus d'une lime pressée et l'huile de sésame. Laisser mariner pendant 10 minutes.

- Couper le saumon en gros cubes et le badigeonner d'huile d'olive.

- Éplucher les oignons cippolini et les couper en 2.

- Composer les brochettes en alternant tofu, saumon et oignons.

- Faire griller une dizaine de minutes et servir avec de la salade feuille de chêne.

- Conserver la marinade au tofu, qui pourra être servie comme sauce d'accompagnement.

$$-♙♙

Nombre de personnes: 4
Temps de préparation: 45 min
Temps de cuisson: 25 min

Accord mets et vins:
Vin blanc sec et aromatique

Brochettes de saumon et de crevettes aux trois poivrons et à la mozzarella

Ingrédients :

450 g (1 lb) de saumon
200 g de crevettes
200 g do mozzarella
2 poivrons rouges
2 poivrons jaunes
2 poivrons verts
1 citron (jus)
1/4 de tasse d'huile d'olive
1 botte de basilic
Sel et poivre, au goût

Préparation :

- Presser le citron dans un bol et ajouter 3 cuillères à soupe d'huile d'olive, puis faire mariner le saumon tranché en cubes pendant au moins 15 minutes.

Trancher les poivrons en 2 dans le sens de la longueur, puis les faire bouillir dans de l'eau salée pendant 10 minutes. Ensuite, les égoutter, les peler et les trancher en lamelles d'au moins 2, 5 cm (1 pouce) de large.

- Découper de fines tranches de mozzarella et en déposer 1 sur chaque lamelle de poivrons. Saler, poivrer, puis ajouter 1 feuille de basilic et 1 trait d'huile d'olive.

- Pour finir, rouler chaque petit monticule sur lui-même pour le piquer directement sur la brochette.

- Alterner les couleurs, de façon à obtenir 4 brochettes avec uniquement des poivrons multicolores.

- Composer ensuite 4 autres brochettes en alternant uniquement des morceaux de saumon et de crevettes.

- Griller les brochettes de saumon et de crevettes une dizaine de minutes sur le barbecue. Lorsqu'elles sont cuites, répéter l'opération avec les brochettes de poivrons pendant 1 ou 2 minutes, pour simplement les réchauffer.

$$–🎩

Nombre de personnes: 4
Temps de préparation: 1 h
Temps de cuisson: 45 min

Accord mets et vins:
Vin blanc sec et aromatique

Brochettes de saumon au chorizo

Ingrédients :

450 g (1 lb) de filet de saumon
300 g de chorizo
8 pommes de terre jaunes
200 g de tomates cerises
100 g de grosses olives vertes
6 gousses d'ail
1 citron (jus)
1/4 de tasse d'huile d'olive
3 c. à soupe d'herbes de Provence
Sel et poivre, au goût

Préparation :

- Éplucher les pommes de terre et les couper en gros morceaux. Hacher l'ail.

- Dans un plat allant au four, disposer l'ail haché et les pommes de terre. Recouvrir avec l'huile d'olive et les herbes de Provence, puis enfourner à 400 °F (200 °C) pendant 35 minutes. Vérifier la cuisson, puis réserver.

- Découper le filet de saumon en gros cubes et le faire mariner pendant 30 minutes dans un peu d'huile d'olive et le jus de citron pressé.

- Couper le chorizo en grosses rondelles.

- Préparer 8 brochettes en alternant le saumon, le chorizo, les tomates cerises et les olives vertes. Saler, poivrer et faire griller sur le barbecue.

- Servir avec les pommes de terre.

$$—🍳

Nombre de personnes : 4
Temps de préparation : 25 min
Temps de cuisson : 15 min

Accord mets et vins :
Vin blanc riche et boisé

Brochettes de saumon au sésame grillé

Ingrédients :

600 g de saumon
5 c. à soupe de graines de sésame
3 c. à soupe de miel
1/4 de tasse de sauce soya
1/4 de tasse d'huile de sésame
2 c. à soupe de sauce mirin (vinaigre de riz)
400 g de roquette
Pain baguette

Préparation :

- Découper les morceaux de saumon en gros cubes.

- Dans un saladier, mélanger le miel et la sauce soya. Tremper les cubes de saumon dans cette préparation, puis les déposer dans un récipient rempli de graines de sésame, afin de les paner. Préparer des brochettes avec les morceaux obtenus.

- Faire griller les brochettes une dizaine de minutes au barbecue.

- Couper quelques fines et longues tranches de baguette pour les faire également griller.

- Préparer la vinaigrette en mélangeant la sauce mirin et l'huile de sésame.

- Nettoyer la roquette, puis y ajouter la vinaigrette et servir avec les brochettes et les tranches de pain grillées.

$$—♟♟

Nombre de personnes: 4
Temps de préparation: 35 min
Temps de cuisson: 35 min

Accord mets et vins:
Vin blanc sec et aromatique

Pavés grillés au paprika et à la mayonnaise fraîche aux olives noires

Ingrédients :

4 pavés de saumon
400 g de pommes de terre
nouvelles
50 g d'olives noires séchées
1 gousse d'ail
1 citron (jus)
1 œuf
2 c. à soupe de paprika
1 c. à soupe d'herbes de Provence
1 c. à soupe de moutarde
1 c. à soupe de ciboulette hachée
3 c. à soupe d'huile d'olive
Salade verte
Sel, au goût

Préparation :

- Mélanger dans un plat creux l'huile d'olive, le jus de citron pressé (réserver 1 cuillère à thé pour la mayonnaise), le paprika et les herbes de Provence, puis y déposer les pavés de saumon. Laisser mariner au moins une quinzaine de minutes.

- Pour la mayonnaise, séparer le blanc du jaune d'œuf et mettre ce dernier dans un bol. Ajouter la moutarde de Dijon et 1 cuillère à thé de jus de citron. Saler et mélanger avec un fouet. Incorporer l'huile progressivement, puis rectifier l'assaisonnement. Hacher les olives noires et les ajouter à la mayonnaise.

- Faire bouillir les pommes de terre nouvelles jusqu'à ce qu'elles soient tendres. Les faire ensuite revenir dans un peu de beurre, d'ail et de ciboulette hachés.

- Pour le saumon, le faire simplement griller au barbecue une dizaine de minutes.

- Servir avec de la salade verte.

Mijoté

$$ — ♟♟♟
Nombre de personnes : 4
Temps de préparation : 40 min
Temps de cuisson : 30-40 min

Accord mets et vins :
Vin blanc riche et boisé

Risotto au gorgonzola et au Pinot Grigio

Ingrédients :

600 g de saumon
150 g de gorgonzola
150 ml de crème champêtre 15 %
200 ml de vin blanc Pinot Grigio
3 échalotes françaises
3/4 de tasse de riz carnaroli
70 g de beurre
1/2 tasse de fumet de poisson
(voir recette p. 175)
Sel et poivre, au goût

Préparation :

- Dans une poêle, saisir les pavés de saumon qui auront préalablement été salés et poivrés dans 20 g de beurre. Les réserver. Il suffira de les enfourner 10 minutes dans un four préalablement chauffé à 400 °F (200 °C) dès que le risotto sera prêt.

- Hacher les échalotes et les faire revenir dans 50 g de beurre. Parallèlement, faire bouillir le fumet de poisson.

- Déglacer les échalotes avec le Pinot Grigio et les laisser réduire de moitié. Ajouter à cette préparation le riz carnaroli et verser 1 louche de fumet de poisson. À partir de ce moment-là, remuer constamment. Cuire le riz à feu moyen et ajouter 1 louche de fumet aussitôt que la précédente est absorbée. Répéter l'opération jusqu'à ce que le riz soit tendre, mais encore ferme sous la dent (20 à 30 minutes).

- Lorsque le riz est cuit, verser la crème et le gorgonzola coupé en petits morceaux. Servir immédiatement dès que le fromage est fondu.

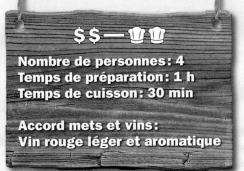

$$—🍴🍴

Nombre de personnes: 4
Temps de préparation: 1 h
Temps de cuisson: 30 min

Accord mets et vins:
Vin rouge léger et aromatique

Matelote de saumon au vin rouge

Ingrédients :

600 g de saumon
800 g de pommes de terre
3 oignons jaunes
2 gousses d'ail
1 carotte
1/2 tasse de champignons de Paris
2 tasses de vin rouge corsé
2 c. à soupe de cognac
1/4 de tasse de beurre
1 c. à soupe de farine
1 bouquet garni (voir recette p. 174)
Sel et poivre, au goût

Préparation :

- Dans une marmite, faire revenir les carottes coupées en rondelles, les oignons et l'ail hachés dans un peu de beurre. Ajouter ensuite le bouquet garni. Saler, poivrer et flamber le tout au cognac.

- Une fois le cognac réduit à sec, ajouter 1 cuillère à soupe de farine et mélanger 1 ou 2 minutes.

- Ajouter le saumon et arroser de vin rouge. Mélanger et, faire réduire de moitié sans couvercle (15 à 20 minutes).

- En attendant, éplucher les pommes de terre et les mettre à bouillir dans de l'eau salée jusqu'à ce qu'elles soient cuites.

- Émincer les champignons et les faire dorer dans une poêle avec un peu de beurre.

- Ajouter les champignons à la matelote en fin de cuisson et harmoniser l'assaisonnement au besoin.

Baeckeoffe de saumon

Ingrédients :

1 kg de filet de saumon
1 kg d'autres poissons (lieu jaune ou dorade rose ou lotte)
450 g (1 lb) de farine
1 1/2 kg de pommes de terre jaunes
5 poireaux
1 tête d'ail
2 tasses de crème sure
2 tasses de vin blanc (riesling d'Alsace)
3 feuilles de laurier
2 c. à soupe de romarin
Sel et poivre, au goût
Eau

Préparation :

- Éplucher et émincer les pommes de terre en tranches de 3 mm. Couper finement les poireaux, puis hacher l'ail.

- Dans une cocotte en terre cuite, disposer 1 couche de pommes de terre, puis les poireaux, le romarin et l'ail.

- Découper le poisson en morceaux d'environ 150 g et en disposer la moitié sur la préparation précédente. Le recouvrir ensuite avec 1 nouvelle couche de pommes de terre, de poireaux, de romarin et d'ail, puis répéter l'opération avec la seconde moitié du poisson. Il ne faut pas oublier de saler et de poivrer chaque couche. Pour finir, mettre du romarin et 3 feuilles de laurier sur le dessus.

- Mélanger le vin et la crème sure, puis arroser de ce mélange le contenu de la cocotte.

- Préparer 1 pâte à pain sommaire (non comestible) en mélangeant 450 g de farine avec un peu d'eau. Mettre le couvercle sur la cocotte et travailler la pâte sur les bords, afin de sceller le couvercle et la cocotte.

- Enfourner le tout dans un four préchauffé à 325 °F (160 °C) pendant 3 heures.

Service :

- Enlever la pâte scellant le couvercle et servir de manière conviviale en posant la cocotte au centre de la table. Un bon riesling sec alsacien conviendra à merveille pour accompagner ce plat très traditionnel.

$$–🎩🎩

Nombre de personnes : 4
Temps de préparation : 1 h
Temps de cuisson : 35 min

Accord mets et vins :
Vin blanc sec et aromatique

Saumon à la moutarde violette et au fenouil

Ingrédients :

600 g de saumon
12 pommes de terre grelot
2 échalotes françaises
150 ml de crème 35 %
2 tasses de fumet de poisson (voir recette p. 175)
150 ml de vin blanc
3 c. à soupe de moutarde violette
2 c. à soupe de farine
1 c. à soupe de beurre
1 bulbe de fenouil
1/2 botte de ciboulette

Préparation :

- Éplucher les échalotes et les faire suer dans une grande marmite avec 1 noix de beurre. Ajouter le vin et le fumet de poisson et laisser réduire au deux tiers.

- Fouetter la crème et la farine ensemble, puis verser cette préparation dans le fumet. Ajouter la moutarde violette, les pommes de terre grelot et le fenouil préalablement coupé en petits cubes, et faire bouillir de 10 à 15 minutes.

- Vérifier la cuisson des pommes de terre, puis ajouter des cubes de saumon de 2,5 cm (1 pouce) dans la sauce et poursuivre la cuisson pendant 5 minutes. Parsemer le plat de ciboulette ciselée en terminant

Service :

- Servir dans un grand plat, saupoudrer le tout de ciboulette ciselée et déposer au centre de la table.

$$—

Nombre de personnes: 4
Temps de préparation: 1 h
Temps de cuisson: 45 min

Accord mets et vins:
Vin rouge léger et aromatique

Saumon aux lentilles à la bordelaise

Ingrédients :

4 pavés de saumon
100 g de lardons
400 g de lentilles
100 g de champignons de Paris
2 oignons
1 carotte
150 ml de vin rouge bordelais
1 branche de thym
1 feuille de laurier
2 c. à soupe d'huile d'olive
1 cube de bouillon de volaille
Sel et poivre, au goût

Préparation :

- Faire revenir les oignons émincés et les lardons dans une poêle sans matières grasses.

- Dans une grande marmite, déposer les lentilles, le thym, le laurier, les carottes préalablement coupées en fines rondelles, les lardons et les oignons sautés, les champignons de Paris émincés, 1 cube de bouillon de volaille et le vin rouge.

- Saler et poivrer, puis ajouter les 4 pavés de saumon. Couvrir et poursuivre la cuisson à feu moyen pendant 15 min, puis à feu doux pendant 30 min. Vérifier à quelques reprises que les ingrédients ne collent pas aux parois de la marmite.

Service :

- Servir avec 1 trait d'huile d'olive dans chaque assiette.

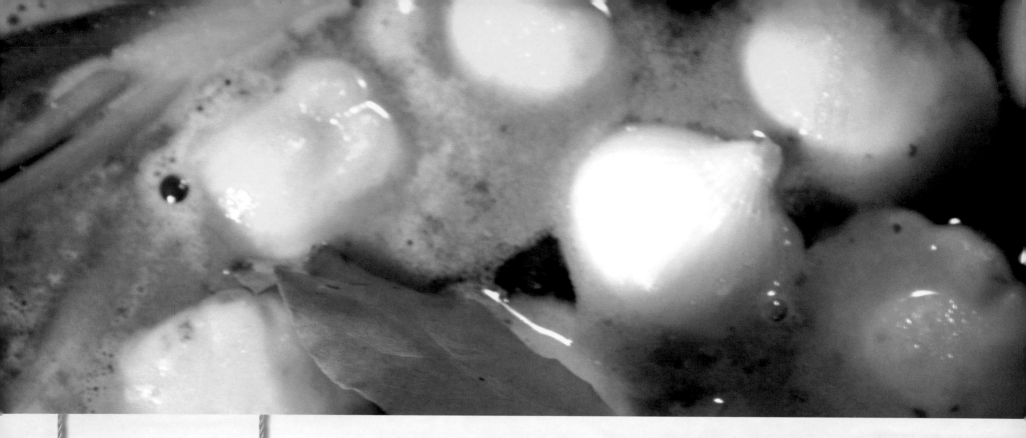

Pot-au-feu de saumon

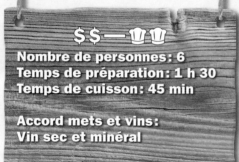

$$—👨‍🍳👨‍🍳

Nombre de personnes: 6
Temps de préparation: 1 h 30
Temps de cuisson: 45 min

Accord mets et vins:
Vin sec et minéral

Ingrédients :

6 pavés de saumon
450 g (1 lb) de carottes
3 navets
3 blancs de poireaux
1 branche de céleri
2 oignons
1/2 céleri-rave
1 bouquet garni (voir recette
p. 174)
12 clous de girofle
3 L d'eau
Sel, au goût

Préparation :

- Éplucher et couper les légumes en morceaux sauf 1 oignon.

- Dans une grande marmite, verser 3 litres d'eau avec 1 bouquet garni. Dès qu'elle bout, ajouter les légumes et 1 oignon entier épluché et piqué de 6 clous de girofle. Saler et laisser bouillir à petit feu pendant 45 minutes.

- Pendant ce temps, faire chauffer un peu d'huile dans une poêle pour saisir les pavés de saumon, dont la peau aura préalablement été enlevée. Une fois chaque côté des pavés bien coloré, terminer la cuisson dans un four à 350 °F (180 °C) pendant 8 minutes.

Service :

- Égoutter les légumes et les disposer dans 6 assiettes à soupe. Déposer au centre de chacune d'elles 1 pavé de saumon rôti. Terminer en versant le bouillon de légumes.

$$$ — 🍳🍳🍳

Nombre de personnes : 4
Temps de préparation : 1 h 30
Temps de cuisson : 1 h

Accord mets et vins :
Vin blanc sec et minéral

Saumon à l'américaine

Ingrédients :

300 g de saumon
300 g de morue
150 g de crevettes décortiquées
800 g de carapaces de crustacés
ou étrilles
225 g de moules
4 tomates
4 gousses d'ail
1 carotte
2 échalotes françaises
100 ml de vin blanc
3 c. à soupe de cognac
40 g de concentré de tomates
1 c. à soupe d'huile d'olive
1 c. à soupe de beurre
1 bouquet garni (voir recette
p. 174)
1/4 de botte d'estragon
Pain frais

Préparation :

- Faire revenir à feu moyen dans le beurre et l'huile d'olive, les carottes et les oignons émincés pendant une dizaine de minutes.

- Ajouter ensuite les carcasses d'étrilles concassées et remuer fréquemment pendant une dizaine de minutes.

- Monter le feu en position élevée, puis flamber au cognac. Par la suite, baisser le feu, ajouter le vin blanc, les tomates préalablement broyées, le concentré de tomates, l'estragon haché et l'ail écrasé. Mouiller avec le fumet de poisson et ajouter le bouquet garni. Laisser bouillir à feu moyen pendant 30 minutes.

- Passer ensuite à travers une passoire et faire réduire le mélange de moitié à feu vif. Rectifier alors l'assaisonnement, puis ajouter les crevettes décortiquées, les cubes de saumon, les moules et la morue en lanières. Faire cuire le tout à feu moyen pendant 10 minutes et servir avec un peu de pain frais.

Mijoté de saumon au gingembre

$$—♙♙
Nombre de personnes: 4
Temps de préparation: 35 min
Temps de cuisson: 20 min

Accord mets et vins:
Vin blanc sec et aromatique

Ingrédients :

600 g de saumon
100 g de beurre
200 ml de crème 35 %
150 ml de vin blanc
1 échalote française
2 c. à thé de gingembre frais
Riz

Préparation

- Dans une poêle, faire revenir à feu moyen dans un peu de beurre l'échalote et le gingembre préalablement hachés.

- Après 2 à 3 minutes, ajouter le saumon préalablement coupé en cubes de taille moyenne.

- Mouiller avec le vin blanc 2 à 3 minutes encore plus tard, et laisser réduire de moitié.

- Ajouter ensuite la crème et ajuster l'assaisonnement.

- Servir avec du riz.

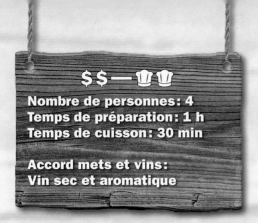

Saumon créole

Ingrédients :

600 g de planche de saumon
1 tasse de riz
3 bananes plantains
3 poivrons : jaune, vert et rouge
1/2 banane
3 L de lait de coco
300 ml de fumet de poisson (voir recette p. 175)
1/4 de tasse de beurre
1 c. à soupe de farine
2 c. à thé de concentré de tomates
1 pincée de piment de Cayenne

Préparation :

- Dans une casserole, mettre 1 grosse noix de beurre et la faire fondre à feu moyen. Puis, ajouter 1 cuillère à soupe de farine et bien mélanger à l'aide d'une cuillère en bois. Cuire environ 1 à 2 minutes en prenant soin de ne pas laisser le mélange se colorer.

- Retirer le mélange du feu et ajouter le lait de coco, le fumet de poisson, le concentré de tomates et le piment de Cayenne. Laisser mijoter une quinzaine de minutes.

- Dans l'attente, découper les poivrons en petits morceaux, puis les faire revenir pendant quelques minutes dans une poêle avec 1 noix de beurre.

- Éplucher les bananes plantains et en faire de longues tranches qui serviront d'accompagnement dans l'assiette. Les faire dorer de la même manière que les poivrons.

- Éplucher la 1/2 banane et la plonger dans le bouillon. Passer ce dernier au mélangeur et vérifier l'assaisonnement. La banane va terminer la liaison du bouillon.

- Dans le fond d'une casserole, déposer le saumon coupé en gros cubes. Ajouter les poivrons et le bouillon, puis faire cuire à feu doux le mélange pendant 10 minutes.

Service :

- Faire cuire le riz, puis, à l'aide d'un emporte-pièce, en mouler une portion sur 4 assiettes.

- Déposer les bananes plantains en les faisant se chevaucher sur le côté.

- Terminer la présentation en versant le mijoté créole. On peut aussi ajouter un peu de persil frais haché ou 1 quartier de citron.

Mixé

Acras de saumon

Ingrédients :

1 kg de saumon en filet
4 pommes de terre
2 oignons blancs
4 œufs
6 c. à soupe de farine blanche
1/2 sachet de levure chimique
2 tasses de fumet de poisson (voir
recette p. 175) et/ou de vin blanc
100 ml de lait
1 botte de persil
2 tasses d'huile d'olive

Préparation :

- Dans une poêle creuse ou une marmite, faire cuire le saumon dans le fumet de poisson et/ou de vin pendant 10 minutes.

- Égoutter le filet, enlever la peau et les arêtes, puis écraser la chair à l'aide d'une fourchette.

- Faire bouillir dans de l'eau les pommes de terre jusqu'à ce qu'elles soient tendres. Les égoutter, puis les écraser dans un saladier à l'aide d'une fourchette avec le lait. Ajouter ensuite les œufs 1 par 1, ainsi que la chair de saumon, et bien mélanger.

- Dans une poêle, faire revenir dans de l'huile d'olive les oignons et l'ail hachés, puis les incorporer à la purée de même que le persil haché. Ajouter la levure et la farine à cette préparation, bien mélanger et laisser reposer de 3 à 4 heures pour que la pâte lève un peu.

- Faire par la suite frire dans une friteuse ou une marmite remplie au tiers d'huile de petites quenelles de pâte formées avec 2 cuillères à soupe.

Service :

- Les acras sont un plat typique des îles que l'on prépare généralement avec de la morue salée. Cette version saumonée peut être, pour sa part, servie sur un grand plateau de service ou de manière individuelle, accompagnée d'une sauce tomate maison un peu sucrée.

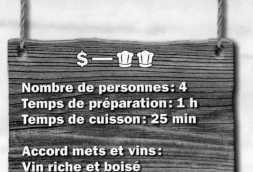

$ — 👨‍🍳👨‍🍳

Nombre de personnes: 4
Temps de préparation: 1 h
Temps de cuisson: 25 min

Accord mets et vins:
Vin riche et boisé

Crème de céleri-rave, poireaux frits et caviar de saumon

Ingrédients :

2 pommes de terre jaunes
2 poireaux
1 céleri-rave
150 ml de crème 35 %
4 c. à soupe de caviar de saumon
2 tasses d'huile d'olive
1 cube de bouillon de volaille
1 bouquet garni (voir recette
p. 174)
2 L d'eau
Sel, au goût

Préparation :

- Éplucher le céleri-rave et les pommes de terre, puis couper le tout en gros dés et le faire bouillir dans 2 litres d'eau avec 1 bouquet garni et 1 cube de bouillon de volaille. Une fois les légumes cuits et tendres, retirer le bouquet garni et les passer au robot culinaire. Rectifier l'assaisonnement et lier avec la crème.

- Laver le poireau et le préparer sous forme de julienne en le coupant en morceaux d'environ 3,5 cm (1,5 pouce), puis en le coupant de nouveau dans le sens de la longueur afin d'obtenir de longs et très fins filaments. Faire chauffer 1,5 cm (1/2 pouce) d'huile d'olive dans une poêle et y faire frire la julienne de poireaux jusqu'à ce qu'elle commence à se colorer. L'éponger à l'aide de papier essuie-tout. Saler et réserver dans un endroit sec.

Service :

- Dans 4 assiettes à soupe, servir 2 louches de crème de céleri, déposer au centre 1 petite poignée de julienne de poireaux en forme de nid et terminer la décoration en déposant quelques œufs de saumon.

$-♨♨

Nombre de personnes : 4
Temps de préparation : 1 h
Temps de cuisson : 45 min

Accord mets et vins :
Vin sec et minéral

Velouté d'asperges, saumon confit à l'huile d'olive

Ingrédients :

450 g (1 lb) de saumon
2 pommes de terre
2 bottes d'asperges vertes
2 gousses d'ail
1/4 de tasse de crème 35 %
2 tasses d'huile d'olive
4 branches de thym
1 bouquet garni (voir recette p. 174)
1 cube de bouillon de légumes
1 1/2 L d'eau
Sel et poivre, au goût

Préparation :

- Dans une grande casserole, faire chauffer l'huile d'olive à feu doux. Ajouter le thym et l'ail et laisser infuser une dizaine de minutes toujours à feu doux.

- Ajouter à cette préparation de petits pavés de saumon d'environ 50 g (soit 8 pavés) préalablement salés et poivrés. Les laisser confire pendant 30 minutes à feu très doux, puis égoutter.

- Dans une marmite, faire bouillir dans 1 1/2 litre d'eau les pommes de terre en cubes, le cube de bouillon de légumes, les asperges vertes épluchées et taillées grossièrement en morceaux, ainsi que le bouquet garni. Une fois les légumes bien cuits, les mixer et rectifier l'assaisonnement au goût. Ajouter la crème pour lier les légumes.

Service :

- Dans 4 assiettes à soupe, verser 2 louches de velouté d'asperges, puis déposer 2 petits pavés de saumon confits au centre, 1 branche de thym debout et 1 filet d'huile d'olive.

$$$—♨♨
Nombre de personnes: 4
Temps de préparation: 1 h
Temps de cuisson: 35 min

Accord mets et vins:

Bouillon de crustacés au safran

Ingrédients :

400 g de saumon
500 g (1 lb) de moules
300 g de crevettes crues
300 g de petits pétoncles frais
1 oignon blanc
1 bulbe de fenouil
1 poireau
2 gousses d'ail
3 tasses de vin blanc
3 tasses de fumet de poisson
(voir recette p. 175)
2 c. à soupe de beurre
2 feuilles de laurier
1 c. à thé de safran

Préparation :

- Faire revenir l'oignon blanc et l'ail hachés dans une poêle avec un peu de beurre. Ajouter le fenouil et le poireau émincés, les feuilles de laurier, le safran, puis les moules. Mouiller ensuite immédiatement avec le vin blanc et le fumet de poisson. Cuire avec un couvercle pendant 5 minutes.

- Égoutter les moules en prenant soin de garder leur jus de cuisson. Remettre les légumes dans la poêle et faire réduire à petit feu le liquide aux trois quarts.

- Séparer les moules de leurs coquilles, puis réserver. Tailler le saumon en petits cubes de 1 cm, rincer les pétoncles et décortiquer les crevettes.

- Vérifier l'assaisonnement du bouillon, puis y ajouter le saumon, les crevettes, les moules et les pétoncles. Faire frémir pendant 5 minutes, puis servir immédiatement, car les crustacés trop cuits sont caoutchouteux.

Nombre de personnes: 4
Temps de préparation: 45 min
(+ 1 h de temps de repos)
Temps de cuisson: 25 min

Accord mets et vins:
Vin riche et boisé

Gaspacho de concombres au raifort

Ingrédients :

100 g de saumon fumé
600 g de concombres
1 grosse pomme de terre
3/4 de tasse de crème 35 %
2 c. à soupe de raifort en purée
4 c. à thé d'huile de sésame (ou d'huile d'olive)
1 cube de bouillon de poulet
Sel et poivre, au goût
1 L d'eau

Préparation :

- Laver, puis éplucher les concombres et la pomme de terre. Couper les concombres dans le sens de la longueur, en retirer les graines et les couper en petits morceaux de même que la pomme de terre. Faire bouillir le tout dans 1 litre d'eau salée avec 1 cube de bouillon de poulet.

- Une fois les légumes cuits, les mixer, puis les lier avec 1/4 de tasse de crème. Rectifier l'assaisonnement, puis les laisser refroidir pendant 1 heure au réfrigérateur.

- Verser 1/2 tasse de crème dans un bol, saler légèrement et fouetter vivement. Une fois la crème montée, incorporer la purée de raifort (ou plus, au goût). Couper le saumon fumé en petits dés.

Service :

- Dans 4 assiettes à soupe, verser 2 louches de soupe froide de concombres. Disperser au-dessus quelques cubes de saumon fumé, puis déposer au centre 1 quenelle de crème au raifort. Terminer la présentation avec 1 trait d'huile de sésame (ou d'huile d'olive).

Tartinade de saumon

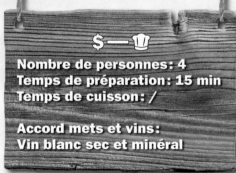

$—🍴

Nombre de personnes: 4
Temps de préparation: 15 min
Temps de cuisson: /

Accord mets et vins:
Vin blanc sec et minéral

Ingrédients :

100 g de saumon fumé
1 tasse de fromage à la crème
1 poivron rouge
1/4 de botte de persil
2 c. à soupe d'huile d'olive
Pain baguette

Préparation :

- Laver le poivron rouge et l'épépiner, puis le couper en 4 dans le sens de la longueur et le badigeonner côté peau avec de l'huile d'olive.

- Déposer le poivron côté peau en haut dans un plat allant au four et mettre ce dernier en position grill. Faire noircir le poivron jusqu'à ce que sa peau soit quasiment calcinée.

- Retirer ensuite le poivron du four, le laisser tiédir et enlever la peau, puis le broyer et le mélanger avec le fromage à la crème.

- Découper le saumon fumé en petits dés et hacher le persil. Ajouter ces 2 ingrédients à la préparation, rectifier l'assaisonnement et servir comme trempette avec quelques croûtons de baguette.

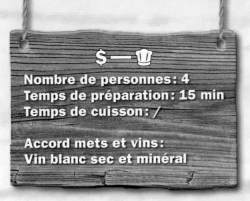

$—♟
Nombre de personnes: 4
Temps de préparation: 15 min
Temps de cuisson: /

Accord mets et vins:
Vin blanc sec et minéral

Houmous au saumon

Ingrédients :

100 g de saumon fumé
450 g (1 lb) de pois chiches
1 citron
2 gousses d'ail
100 ml d'huile de tournesol
1/4 de botte de persil
2 c. à thé de raifort
Croûtons, nachos ou pains nan

Préparation :

- Dans un robot culinaire, mélanger les pois chiches, le jus du citron, l'huile, l'ail haché et le raifort jusqu'à l'obtention d'une consistance homogène

- Retirer du robot et ajouter en remuant avec une spatule en bois le persil haché et le saumon fumé préalablement coupé en petits dés.

- Rectifier l'assaisonnement et servir avec quelques croûtons de baguette, des nachos ou encore des pains nan indiens.

$$$—♔♔♔

Nombre de personnes: 4
Temps de préparation: 45 min
(+ 1 h de temps de repos)
Temps de cuisson: 45 min

Accord mets et vins:
Vin blanc riche et boisé

Lait au jasmin, pommes de terre bleues, huile vanillée et julienne de poireaux

Ingrédients :

4 pavés de saumon
300 g d'arêtes et tête de poisson
450 g (1 lb) de pommes de terre bleues
4 poireaux
2 échalotes françaises
2 tasses de lait 3,25 %
300 ml d'huile d'olive
2 c. à soupe de beurre
2 c. à thé de perles de jasmin (thé)
1 gousse de vanille
Sel et poivre, au goût

Préparation :

- Couper la gousse de vanille dans le sens de la longueur, puis en retirer les graines. Placer ces graines dans 60 ml (1/4 de tasse) d'huile d'olive pendant au moins 1 heure pour qu'elles s'imbibent de cet arome.

- Laver les poireaux et enlever un bon tiers de leur partie la plus verte. Les préparer ensuite sous forme de julienne en les coupant en morceaux d'environ 3,5 cm (1/2 pouce), puis en les coupant de nouveau dans le sens de la longueur afin d'obtenir de longs et très fins filaments. Faire chauffer 1,5 cm (1/2 pouce) d'huile d'olive dans une poêle et y faire frire la julienne de poireaux jusqu'à ce qu'elle commence à se colorer. L'éponger à l'aide de papier essuie-tout. Saler et réserver dans un endroit sec.

- Laver, éplucher et couper en morceaux de 1,5 cm (1/2 pouce) les pommes de terres bleues. Les faire bouillir dans de l'eau salée jusqu'à ce qu'elles soient tendres (environ 15 minutes).

- Dans une casserole, faire revenir 1 échalote hachée dans un peu de beurre, puis ajouter les arêtes de poisson et les saisir. Ajouter le miel, le lait et les perles de jasmin et un peu de sel. Faire frémir la préparation à feu doux pendant 20 minutes, en faisant attention à ce que le lait ne bouille pas. Après la cuisson, passer le tout à travers une étamine.

- Beurrer un plat allant au four, en saler et poivrer le fond, puis déposer le saumon coupé en 4 pavés. Arroser avec la préparation à base de lait et enfourner pendant 10 minutes dans un préalablement chauffé à 400 °F (200 °C). Ensuite, récupérer le jus de cuisson du saumon et à l'aide d'un petit mélangeur, le faire mousser.

Service :

- Au centre de 4 assiettes à soupe, déposer quelques tranches de pommes de terre bleues afin de former un petit podium. Y déposer le saumon, puis 1 petite poignée de julienne de poireaux, dans le but d'obtenir une belle hauteur dans l'assiette. Terminer la présentation en versant un peu de jus de cuisson, de mousse de lait et d'huile vanillée.

Poché,
à la vapeur

$$$—♟♟♟
Nombre de personnes: 4
Temps de préparation: 2 h
Temps de cuisson: 45 min

Accord mets et vins:
Vin blanc sec et aromatique

Saumon poché au muscat, mousseline de sole à la lavande

Ingrédients:

450 g (1 lb) de saumon
350 g (3/4 de lb) de sole
400 g de pommes de terre nouvelles
300 g d'asperges
2 échalotes françaises
2 gousses d'ail
350 ml de crème champêtre 35 %
2 œufs
200 ml de fumet de poisson (voir recette p. 175)
200 ml de muscat sec
2 c. à soupe de beurre
1/2 c. à thé de lavande séchée
Sel et poivre, au goût

Préparation:

- Hacher la sole dans un robot culinaire. Battre les 2 œufs et les incorporer dans le robot avec le poisson. Saler, poivrer, puis ajouter par petites quantités 300 ml de crème champêtre très froide. Attention, il ne faut pas aller trop vite afin de garder une consistance homogène. Ajouter la lavande séchée pour terminer la mousseline. Garder au froid.

- Laver les pommes de terre nouvelles, les couper en 2 et les faire bouillir dans de l'eau jusqu'à ce qu'elles soient tendres. Éplucher les asperges et les faire bouillir de la même manière de 3 à 4 minutes.

- Beurrer un grand plat allant au four. Saler, poivrer et étaler les échalotes et l'ail coupés en fines rondelles au fond. Couper le pavé de saumon en 4 et l'ajouter au-dessus.

- À l'aide d'une poche et d'une douille dentelée, dresser sur chaque morceau de poisson une bonne quantité de mousseline. Mouiller le plat à mi-hauteur, à moitié avec du fumet de poisson et à moitié avec le muscat sec. Enfourner pendant 10 minutes dans un four préchauffé à 425 °F (220 °C).

- Pendant ce temps, réchauffer les légumes dans de l'eau bouillante. Récupérer le bouillon de cuisson du poisson dans une casserole, puis le faire réduire pendant 5 minutes à feu doux et le lier avec la quantité de crème restante. Assaisonner au goût.

Service:

- Disposer le poisson au centre et les pommes de terre autour. Placer quelques asperges en diagonale sur le saumon, puis napper le fond de l'assiette de sauce.

$$—♟♟
Nombre de personnes: 4
Temps de préparation: 50 min
Temps de cuisson: 35 min

Accord mets et vins:
Vin blanc riche et aromatique

Pavés de saumon aux vapeurs de thé lapsang souchong

Ingrédients :

4 pavés de saumon
300 g de riz sauvage
4 bok choy
300 ml de fumet de poisson (voir recette p. 175)
100 g d'amandes effilées
2 c. à thé de thé lapsang souchong
4 c. à thé d'huile de sésame
1 c. à soupe de beurre
1 c. à soupe de graines de sésame

Préparation :

- Couper les bok choy dans le sens de la longueur et les blanchir 3 à 4 minutes dans de l'eau salée.

- Dans un plat à vapeur, verser le fumet de poisson et 2 cuillères à thé de thé lapsang souchong. Déposer les pavés sur le cuit-vapeur et faire cuire durant 15 minutes.

- Pendant ce temps, faire cuire le riz sauvage dans de l'eau bouillante jusqu'à ce qu'il soit tendre.

- Sur une plaque, étaler les amandes effilées et les faire griller dans un four préchauffé à 425 °F (220 °C) pour les dorer.

- Faire revenir le bok choy dans un petit peu de beurre et d'huile de sésame.

Service :

- Disposer un peu de riz sauvage au centre de 4 assiettes, déposer le saumon par-dessus, puis garnir avec les bok choy au sésame, les amandes grillées et 1 filet d'huile de sésame.

Saumon à l'oseille

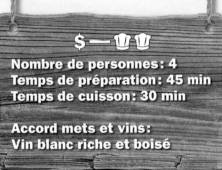

$ — 🍴🍴
Nombre de personnes: 4
Temps de préparation: 45 min
Temps de cuisson: 30 min

Accord mets et vins:
Vin blanc riche et boisé

Ingrédients :

600 g de saumon
200 g d'oseille
2 échalotes françaises
1 gousse d'ail
20 g de beurre
1 tasse de crème 15 %
1 tasse de fumet de poisson (voir recette p. 175)
1 tasse de vin blanc
1 c. à soupe d'huile d'olive
Sel et poivre, au goût

Préparation :

- Laver et équeuter l'oseille, et ciseler les échalotes. Puis, faire revenir le tout dans une poêle avec 1 filet d'huile d'olive pendant 2 à 3 minutes.

- Ensuite, ajouter la crème, 125 ml de fumet et 125 ml de vin blanc et laisser mijoter à feu moyen pendant 10 minutes.

- Beurrer un grand plat allant au four. Saler et poivrer la surface, puis y étaler l'ail coupé en fines rondelles.

- Couper le saumon en 4 pavés et les disposer dans le plat. Verser jusqu'à mi-hauteur un mélange de 125 ml de fumet de poisson, ainsi que la même quantité de vin. Cuire pendant 10 minutes dans un four préchauffé à 425 °F (220 °C).

- Récupérer le bouillon de cuisson du poisson dans une casserole. Faire réduire le mélange pendant 5 minutes à petits bouillons et l'ajouter à la sauce à l'oseille.

Aspic de saumon aux légumes

$$—👨‍🍳👨‍🍳👨‍🍳

Nombre de personnes: 4
Temps de préparation: 1 h
Temps de cuisson: 20 min

Accord mets et vins:
Vin blanc sec et minéral

Ingrédients :

400 g de filets de saumon
4 œufs
3 échalotes françaises
2 citrons
1/4 de tasse de fumet de poisson
(voir recette p. 175)
1/2 botte de persil
1/4 de tasse de câpres
5 à 7 feuilles de gélatine
Pain
Salade verte
Mayonnaise

Préparation :

- Faire bouillir les œufs dans de l'eau pendant 10 minutes, puis les trancher en fines rondelles.

- Hacher les échalotes, le persil et les câpres. Faire de fines rondelles de citron en prenant soin d'en ôter le zeste.

- Dans une casserole, pocher le saumon une dizaine de minutes dans le fumet de poisson à feu moyen, puis laisser refroidir. Émietter ensuite le poisson et vérifier l'assaisonnement.

- Reprendre le fumet de poisson dans lequel le saumon a été poché, et y ajouter la gélatine en suivant le mode d'emploi du fabricant (généralement 5 à 7 feuilles de gélatine sont nécessaires).

- Verser 1 cm de préparation au fumet au fond d'un plat à terrine tapissé de papier cellophane pour faciliter le démoulage. Déposer ensuite le plat au réfrigérateur pour que la gelée se solidifie, puis disperser dessus quelques rondelles d'œufs durs, les échalotes, le persil et les câpres hachés, des rondelles de citron et le saumon émietté. Puis, verser de nouveau 1 cm de préparation, remettre au réfrigérateur et répéter l'opération au besoin.

- Servir avec un peu de pain, de la mayonnaise et de la salade verte.

Terrine de saumon à la vodka

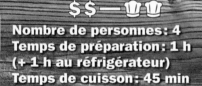

$$—👨‍🍳👨‍🍳

Nombre de personnes : 4
Temps de préparation : 1 h
(+ 1 h au réfrigérateur)
Temps de cuisson : 45 min

Accord mets et vins :
Vin blanc sec et minéral

Ingrédients :

600 g de saumon
100 g de saumon fumé
400 ml de crème champêtre
1 poivron rouge
1 poivron jaune
3 blancs d'œufs crus
1 c. à soupe d'huile d'olive
3 c. à soupe de vodka
Eau
Sel et poivre, au goût
Mayonnaise maison

Préparation :

- Dans un robot culinaire, déposer le saumon fumé coupé en gros dés, les blancs d'œufs, la vodka, du sel et du poivre. Ajouter ensuite progressivement la crème champêtre, de manière à obtenir une mousse onctueuse et homogène. Conserver au frais pendant 1 heure.

- Couper les poivrons en julienne, puis les faire blanchir. Tailler également le saumon fumé en fines lanières.

- Verser un tiers de la mousse dans un moule à gâteau antiadhésif, puis déposer la moitié du saumon et des poivrons en alternant les couleurs. À l'aide d'un pinceau trempé dans de l'huile d'olive, lustrer le mélange. Puis, verser le deuxième tiers de mousse et répéter l'opération. Terminer avec le reste de mousse.

- Placer le moule dans un plat profond et le remplir d'eau jusqu'à mi-hauteur. Enfourner pendant 45 minutes à 400 °F (200 °C).

- Préparer une mayonnaise agrémentée de persil et d'ail fraîchement hachés pour accompagner ce plat (voir la préparation d'une mayonnaise à la page 111).

Quenelles de saumon

$$—♟♟

Nombre de personnes: 4
Temps de préparation: 1 h 30
Temps de cuisson: 50 min

Accord mets et vins:
Vin blanc sec et minéral

Ingrédients:

600 g de saumon
100 g d'emmental râpé
200 ml de crème 35 %
75 g de fromage blanc
5 œufs
1 L de fumet de poisson (voir recette p. 175)
1/4 de botte de ciboulette
1 pincée de safran
1 pincée de muscade
Sel et poivre, au goût

Préparation:

- Couper le saumon en gros dés, puis le déposer dans un robot culinaire pour hacher les morceaux convenablement.

- Ajouter ensuite le fromage blanc, 2 œufs entiers et 3 jaunes d'œufs, et mixer le tout.

- Dans un grand saladier, incorporer à la spatule les 3 blancs d'œufs restants battus en neige. Saler, poivrer et mettre 1 pincée de muscade.

- Mouler les quenelles à l'aide de 2 cuillères à soupe et les faire pocher dans le fumet de poisson auquel aura été ajouté le safran. Lorsque les quenelles remontent à la surface, cela signifie qu'elles sont cuites (entre 2 et 3 minutes).

- Réserver les quenelles au réfrigérateur et réduire le fumet au quart. Ajouter alors la crème au mélange et rectifier l'assaisonnement au besoin.

- Dans un plat à gratin, déposer les quenelles, puis napper de sauce au fumet et finir en dispersant l'emmental râpé au-dessus.

- Dans un four préalablement chauffé à 425 °F (220 °C), faire cuire pendant 20 minutes, puis gratiner.

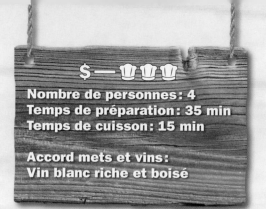

$ — 🍳🍳🍳

Nombre de personnes : 4
Temps de préparation : 35 min
Temps de cuisson : 15 min

Accord mets et vins :
Vin blanc riche et boisé

Œufs bénédictines au saumon fumé

Ingrédients :

100 g de saumon fumé
2 muffins anglais
6 œufs
1 tasse de beurre
1/2 c. à soupe de jus de citron
Sel, au goût

Préparation :

- Séparer 2 jaunes d'œufs et les mettre dans un cul-de-poule (récipient en inox).

- Ajouter 1/2 cuillère à soupe de jus de citron, saler et fouetter vigoureusement au-dessus d'un bain-marie. Attention, ce dernier ne doit pas bouillir pour empêcher que le jaune d'œuf coagule, sinon la sauce risque de tourner.

- Lorsque la mousse obtenue est bien aérée, ajouter progressivement le beurre fondu. Réserver ensuite la sauce.

- Dans de l'eau frémissante légèrement vinaigrée, faire pocher les 4 œufs restants pendant environ 3 minutes. Les jaunes doivent rester coulants à l'intérieur.

Service :

- Faire griller les muffins anglais coupés en 2, puis en déposer une moitié au centre de chaque assiette.

- Étaler quelques tranches de saumon fumé au-dessus, puis 1 œuf poché et terminer en nappant le tout de sauce hollandaise.

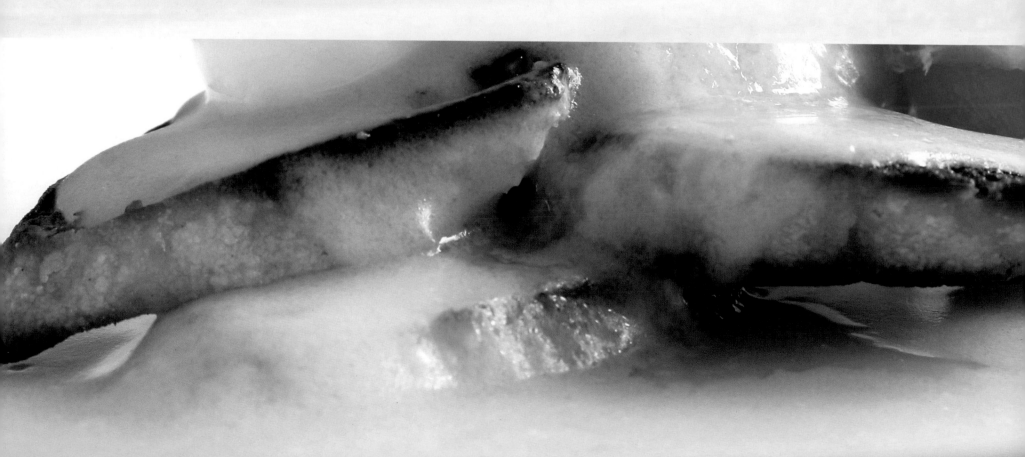

$$—🍳🍳
Nombre de personnes : 4
Temps de préparation : 1 h
Temps de cuisson : 40 min

Accord mets et vins :
Vin blanc sec et minéral

Saumon et court-bouillon au riesling

Ingrédients :

4 pavés de saumon
6 petits oignons verts
2 carottes
2 navets
1 courgette
1 échalote française
1 L de fumet de poisson (voir recette p. 175)
1 tasse de riesling
2 c. à soupe de beurre
Sel et poivre, au goût

Préparation :

- Couper les carottes en rondelles, les navets en julienne, les oignons verts en 2 morceaux dans le sens de la longueur et les courgettes en bâtonnets.

- Faire bouillir le fumet de poisson et pocher les légumes 1 par 1 en faisant attention à ce qu'ils demeurent un peu croquants. Réserver le tout.

- Beurrer le fond d'un plat allant au four et y étaler l'échalote hachée en la saupoudrant de sel et de poivre.

- Déposer ensuite les 4 pavés de saumon et arroser les morceaux avec 250 ml de fumet (celui qui a servi à cuire les légumes) et le riesling. Puis, faire cuire pendant 12 min dans un four préchauffé à 425 °F (220 °C).

- Porter à ébullition le reste de fumet, auquel aura été ajouté le jus de cuisson du poisson. Verser par la suite tous les légumes pour les réchauffer.

Service :

- Dans des assiettes à soupe, disposer les pavés et les légumes, puis verser 1 à 2 louches de fumet.

Saumon poché au miso

$$$ — 👨‍🍳👨‍🍳👨‍🍳

Nombre de personnes : 4
Temps de préparation : 1 h
Temps de cuisson : 35 min

Accord mets et vins :
Vin blanc sec et aromatique,
ou saké

Ingrédients :

400 g de saumon
6 tasses de fumet de poisson (voir recette p. 175)
150 g de pâte de miso
100 g de farine
10 feuilles de mizuna (feuille aromatique asiatique)
1 poireau
1 oignon blanc
1 œuf
5 c. à soupe de lait
Sel, au goût

Préparation :

- Dans une grande marmite, faire bouillir le fumet de poisson avec 150 g de pâte de miso.

- Couper le poireau en julienne. Émincer l'oignon blanc et une dizaine de feuilles de mizuna. Ajouter ces légumes au fumet et faire frémir une dizaine de minutes.

- Pendant ce temps, dans un saladier, mélanger la farine, les œufs, le lait et du sel jusqu'à l'obtention d'une pâte liquide homogène.

- Couvrir le fumet d'une passoire à gros trous et verser la pâte obtenue précédemment. Pousser le mélange à l'aide d'un cône à pâtisserie ou d'une grosse cuillère pour que la pâte s'écoule correctement dans la marmite. Laisser bouillir pendant 5 minutes et bien mélanger.

- Ajouter ensuite le saumon coupé en dés de 2,5 cm (1 pouce) de large et retirer du feu.

- Poursuivre la cuisson hors du feu en laissant la préparation reposer 3 à 4 minutes, puis servir.

Vermicelles au saumon et bouillon oriental épicé

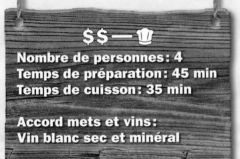

$$—👨‍🍳

Nombre de personnes: 4
Temps de préparation: 45 min
Temps de cuisson: 35 min

Accord mets et vins:
Vin blanc sec et minéral

Ingrédients :

400 g de saumon
250 g de vermicelles
2 piments rouges
4 gousses d'ail
1 botte d'oignons verts
1/2 botte de coriandre
1 c. à thé de gingembre en poudre
4 c. à thé d'huile de sésame
3 c. à soupe de sauce soya
1 1/2 L de bouillon de légumes
2 L d'eau

Préparation :

- Mettre le bouillon de légumes dans une grande marmite et porter à ébullition.

- Couper les piments en 2 et les hacher. Ensuite, les ajouter au bouillon, de même que le gingembre, la coriandre et l'ail haché. Laisser frémir pendant 15 min. Rectifier l'assaisonnement au besoin.

- Dans une autre casserole, faire bouillir 2 litres d'eau salée. Ajouter les vermicelles et les retirer du feu. Laisser les vermicelles tremper 4 à 5 minutes jusqu'à ce qu'ils soient tendres. Les égoutter, puis les rafraîchir à l'eau froide pour arrêter la cuisson.

- Couper le saumon en cubes de 2,5 cm (1 pouce).

- Déposer 50 à 100 g de vermicelles au fond de 4 bols à soupe, puis 100 g de cubes de saumon cru. Verser ensuite 3 louches de bouillon bien chaud sur le dessus.

- Terminer avec quelques gouttes d'huile de sésame et servir. On peut aussi ajouter de la sauce soya à la toute fin.

Poêlé, sauté

$$—👨‍🍳👨‍🍳

Nombre de personnes : 4
Temps de préparation : 1 h
Temps de cuisson : 30 min

Accord mets et vins :
Vin rouge léger et aromatique

Saumon au bacon, jus de veau et purée de céleri-rave

Ingrédients :

600 g de saumon
200 g de bacon
300 g de pois mange-tout
2 grosses pommes de terre
1 céleri-rave
1/4 de tasse de crème
150 ml de jus de veau
Sel et poivre, au goût

Préparation :

- Éplucher, puis couper le céleri-rave et les pommes de terre en gros morceaux. Dans une casserole, faire cuire les légumes, les égoutter et les réduire en purée.

- Détendre la purée obtenue avec la crème jusqu'à l'obtention d'une consistance lisse et onctueuse. Pour une bonne finition, on peut passer légèrement cette purée au mélangeur.

- Faire blanchir les pois mange-tout dans de l'eau salée. Il suffira de les faire revenir dans un peu de beurre avant de servir.

- Faire des tranches de filet de saumon de la même largeur que les tranches de bacon.

- Déposer une tranche de bacon sur chaque tranche de saumon. Parer ce qui dépasse, saler et poivrer.

- Dans une poêle sans matières grasses, dorer le saumon tout d'abord du côté bacon durant 3 à 4 minutes. Le bacon devrait normalement coller au saumon. Retourner les tranches pour achever la cuisson de l'autre côté, de nouveau pendant 3 à 4 minutes.

- Servir immédiatement avec un peu de jus de veau préchauffé dans une casserole.

Saumon meunière

$$ — 👨‍🍳👨‍🍳
Nombre de personnes: 4
Temps de préparation: 45 min
Temps de cuisson: 40 min

Accord mets et vins:
Vin blanc sec et minéral

Ingrédients :

4 pavés de saumon
200 g de farine
8 pommes de terre
1 brocoli
1/2 citron
100 g de beurre
1 tasse de lait
1/2 botte de persil
Sel et poivre, au goût

Préparation :

Préparation du saumon :

- Éplucher les pommes de terre, puis les faire bouillir dans de l'eau salée afin de les attendrir.

- Répéter la même opération avec les brocolis, que l'on fera revenir dans une poêle avec 20 g de beurre à la dernière minute avant de servir.

- Saler et poivrer chaque pavé de saumon, puis les tremper dans le lait et la farine. Enlever l'excédent de farine en tapotant légèrement les morceaux.

- Dans une grande poêle, verser un peu d'huile et 30 g de beurre et faire chauffer à feu moyen. Saisir chaque côté des pavés pendant 6 à 7 minutes, puis ôter du feu et réserver.

Préparation du beurre noisette :

- Faire fondre 50 g (1/4 de tasse) de beurre jusqu'à ce qu'il blondisse.

- Presser le jus de 1/2 citron, ajouter le persil haché et napper les pavés de saumon de beurre fondu immédiatement.

- Servir avec les légumes réservés (pommes de terre et brocolis).

Saumon teriyaki

Nombre de personnes: 4
Temps de préparation: 30 min
(+ 1 h pour la marinade)
Temps de cuisson: 25 min

Accord mets et vins:
- Vin blanc sec et aromatique

Ingrédients :

4 pavés de saumon
200 g de germes de soya
2 oignons jaunes
2 bok choy
1 poivron jaune
1/4 de tasse de sucre
100 ml de sauce mirin (vinaigre de riz)
100 ml de sauce soya
3 c. à soupe de saké
Riz

Préparation :

- Mélanger la sauce mirin, la sauce soya et le sucre, puis faire réduire le mélange d'un tiers dans une casserole. Faire mariner les pavés de saumon dans cette sauce teriyaki pendant 1 heure.

- Pendant ce temps, couper les légumes en petits cubes pour en faire un sauté. Les faire revenir avec un peu de matières grasses (beurre ou huile) et ajouter un peu de sauce teriyaki avant de les retirer du feu.

- Dans une poêle bien chaude, faire revenir chaque morceau durant 4 minutes avec le reste de la sauce.

- Ce plat se déguste avec du riz

Saumon à l'unilatéral, oignons caramélisés et guacamole

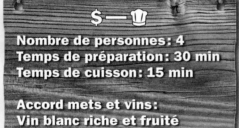

$—🍳

Nombre de personnes : 4
Temps de préparation : 30 min
Temps de cuisson : 15 min

Accord mets et vins :
Vin blanc riche et fruité

Ingrédients :

400 g de saumon
4 gros oignons blancs
2 avocats bien mûrs
3 échalotes françaises
1 citron (jus)
3 c. à soupe de sucre
Quelques chips de maïs
Épices, au goût

Préparation :

- Vider les avocats, puis en faire une purée à l'aide d'une fourchette.

- Ajouter le jus de citron, les échalotes hachées et assaisonner au goût.

- Éplucher et trancher finement les oignons. Les faire revenir à feu vif dans un peu de beurre et de sucre, afin de les caraméliser.

- Après l'avoir assaisonné, faire revenir dans une poêle un côté seulement du saumon dans un peu d'huile jusqu'à mi-cuisson (7 à 8 minutes). Il est important que l'autre côté du poisson reste quasiment cru.

Service :

- Disposer les ingrédients dans une assiette et décorer avec quelques chips de maïs.

$$—👨‍🍳👨‍🍳👨‍🍳

Nombre de personnes : 4
Temps de préparation : 1 h
Temps de cuisson : 25 min

Accord mets et vins :
Vin blanc sec et fruité

Pavés de saumon, spätzles aux épinards sauce aux câpres

Ingrédients :

4 pavés de saumon
300 g de farine
300 g d'épinards frais
1/2 citron
3 œufs
100 g de beurre
200 ml de lait
1/4 de tasse de câpres
Sel et poivre, au goût

Préparation :

Préparation des spätzles :

- Dans un saladier, mélanger la farine, les œufs, le lait et du sel jusqu'à l'obtention d'une pâte liquide et homogène.

- Dans une casserole, faire bouillir de l'eau salée, et poser une passoire à gros trous dessus.

- Verser ensuite le tiers de la pâte dans cette dernière et pousser à l'aide d'une corne à pâtisserie ou d'une grosse cuillère, pour que les spätzles tombent dans l'eau bouillante. Veiller à ce que les filets de pâte se coupent toutes les 2 ou 3 secondes, car il faut obtenir de petits morceaux.

- À l'aide d'une écumoire, récupérer les spätzles après 2 minutes de cuisson. Réserver et répéter l'opération avec la quantité de pâte restante.

- Dans une poêle, faire sauter les épinards dans un peu de beurre. Saler, poivrer, et réserver.

- Répéter l'opération avec les spätzles, afin de bien les faire dorer. Incorporer ensuite les épinards sautés, mélanger et réserver jusqu'au service.

Préparation des pavés de saumon :

- Saler et poivrer les pavés de saumon, les fariner et les faire sauter dans une poêle à feu moyen durant une dizaine de minutes.

- Faire fondre 50 g de beurre jusqu'à ce qu'il blondisse. Y ajouter le jus de citron et les câpres hachées.

Service :

- Disposer les pavés de saumon sur 4 assiettes, les napper de la sauce au beurre blanc et servir avec les spätzles.

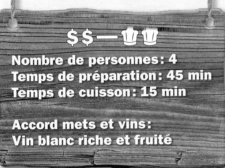

$$—♟♟

Nombre de personnes: 4
Temps de préparation: 45 min
Temps de cuisson: 15 min

Accord mets et vins:
Vin blanc riche et fruité

Goujonnettes de saumon panées à la sauce gribiche

Ingrédients :

450 g (1 lb) de filet de saumon
200 g de farine blanche
1 tasse de chapelure
5 œufs
50 g de cornichons
50 g de câpres
1 c. à soupe de persil haché
1 c. à soupe de ciboulette hachée
1 c. à soupe de cerfeuil haché
1 c. à soupe d'estragon haché
1 c. à soupe de moutarde de Dijon
400 ml d'huile de tournesol
1 c. à thé de vinaigre blanc
Sel et poivre, au goût

Préparation :

Préparation de la sauce gribiche :

- Dans de l'eau bouillante, faire bouillir 3 œufs durant 10 minutes. Refroidir et écaler. Séparer ensuite le jaune du blanc.

- Passer le jaune d'œuf à travers une étamine ou l'écraser finement. Mettre ensuite le jaune dans un saladier et y ajouter de la moutarde, 1 cuillère à thé de vinaigre blanc, du sel et du poivre.

- Mélanger avec un fouet, puis incorporer progressivement l'huile de tournesol comme pour une mayonnaise. Veiller à ce que la sauce soit épaisse.

- Pour finir, ajouter les herbes hachées, les cornichons et les câpres, puis le blanc d'œuf coupé en dés.

- Harmoniser l'assaisonnement et garder au frais.

Préparation des goujonnettes :

- Enlever la peau du filet de saumon et le trancher en fines lanières (1 cm de large).

- Préparer séparément, un bol de farine, un autre contenant 3 œufs battus et un dernier avec la chapelure.

- Saler et poivrer le saumon. Ensuite, en tremper 1 lanière dans la farine, puis dans les œufs et enfin dans la chapelure. Prendre soin de bien équilibrer le mélange des 3 ingrédients. Répéter l'opération avec toutes les lanières de saumon.

Service :

- Dans une poêle, verser 2,5 cm (1 pouce) d'huile et y faire frire les goujonnettes pendant 2 minutes à feu moyen ou vif.

- Servir chaud avec la sauce gribiche et un peu de salade.

$$$—👨‍🍳👨‍🍳

Nombre de personnes : 4
Temps de préparation : 35 min
Temps de cuisson : 20 min

Accord mets et vins :
Vin sec et aromatique

Pad thaï de saumon

Ingrédients :

4 pavés de saumon
400 g de vermicelles
200 g de chou de Savoie (chou de Milan)
3 oignons verts
3 gousses d'ail
2 limes
1/2 poivron rouge
1 c. à thé de racine de gingembre
3 œufs
1/4 de tasse de coriandre fraîche
2 c. à soupe de cassonade
3 c. à soupe d'arachides non salées
2 c. à soupe d'huile d'arachide
2 c. à soupe de sauce soya
2 c. à soupe de sauce au poisson
2 c. à soupe de sauce hoisin

Préparation :

- Dans de l'eau bouillante, faire cuire les vermicelles durant quelques minutes. Par la suite, les égoutter et les passer à l'eau froide, puis réserver.

- Faire 1 omelette avec les œufs et la couper ensuite en fines lanières sur une planche.

- Couper le saumon en petits cubes, puis le faire dorer dans un wok avec un peu d'huile d'arachide. Réserver une fois la cuisson terminée.

- Trancher finement l'ail, les oignons verts, le chou de Savoie et les poivrons rouges. Ensuite, les faire revenir avec de l'huile d'arachide de la même manière que le saumon.

- Après quelques minutes de cuisson, ajouter la sauce soya, la sauce au poisson, la sauce hoisin, la cassonade et le jus de lime. Poursuivre la cuisson jusqu'à la consistance voulue des légumes (idéalement, légèrement croquants).

- Pour finir, ajouter les vermicelles, le saumon, les lanières d'omelette et la coriandre dans la préparation. Saupoudrer de quelques arachides hachées juste avant de servir chaud.

$$—👨‍🍳👨‍🍳

Nombre de personnes : 4
Temps de préparation : 1 h
Temps de cuisson : 1 h

Accord mets et vins :
Vin blanc riche et boisé

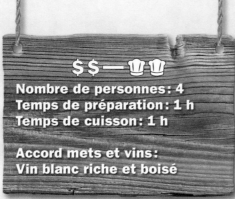

Darnes de saumon, gratin de courgettes et riz pilaf

Ingrédients :

4 darnes de saumon
300 g de riz blanc
200 g de farine blanche
450 g (1 lb) de courgettes
2 échalotes françaises
100 g de fromage cheddar
1/4 de tasse de beurre
400 ml de bouillon de légumes
2 tasses de lait
1 bouquet garni (voir recette
p. 174)
Feuilles de laurier
Sel et poivre, au goût

Préparation :

- Laver les courgettes et les trancher en rondelles d'environ 3 à 4 mm d'épaisseur.

- Dans une casserole, les faire bouillir durant 5 minutes dans de l'eau salée, puis les réserver.

- Dans une poêle, faire fondre 30 g de beurre et ajouter 1 cuillère à soupe de farine. Mélanger le tout et cuire 1 minute en faisant attention à ce que le mélange ne se colore pas, puis ajouter le lait. Porter à ébullition, puis ajouter le fromage coupé en gros cubes. Mélanger jusqu'à l'obtention d'une sauce homogène.

- Dans un plat assez creux allant au four, disposer les courgettes blanchies, puis les napper de sauce. Enfourner pour une vingtaine de minutes à 400 °F (200 °C) et achever la cuisson en laissant gratiner.

- Faire fondre dans une casserole le reste du beurre, puis faire revenir les échalotes pendant 2 minutes.

- Ajouter le riz, bien mélanger, puis arroser avec du bouillon de légumes. Ajouter quelques feuilles de laurier, du sel et du poivre. Laisser bouillir à feu doux pendant 20 minutes ou jusqu'à ce que le bouillon soit complètement absorbé. Réserver.

- Saler et poivrer les darnes de saumon. Ensuite, fariner les morceaux et les faire sauter avec un peu de matières grasses (beurre ou huile) dans une poêle à feu moyen durant une dizaine de minutes.

Service :

- Disposer les darnes sur chaque assiette, les napper de sauce et servir avec le riz.

Farfalles de saumon à la crème de poivrons rouges et au chèvre frais

Ingrédients :

4 pavés de saumon
300 g de farfalles
100 g de fromage de chèvre frais
100 ml de crème 35 %
2 poivrons rouges
2 échalotes françaises
1 poireau
4 c. à soupe d'olives noires séchées
2 tasses de fumet de poisson (voir recette p. 175)
5 c. à soupe de tomates séchées
4 branches de thym frais
200 g de farine
2 c. à soupe d'huile ou de beurre
Sel et poivre, au goût

Préparation :

- Dans une casserole, faire revenir les échalotes hachées, les poivrons rouges et le poireau coupés en fines lanières dans 1 cuillère à soupe de matières grasses (huile ou beurre).

- Arroser le tout avec le fumet de poisson et faire réduire de moitié.

- Mixer, puis ajouter la crème, les tomates séchées, les olives noires coupées en rondelles et le fromage de chèvre frais. Faire frémir la préparation pendant quelques minutes.

- Saler et poivrer les pavés de saumon, les fariner et les faire sauter dans une poêle à feu moyen avec 1 cuillère à soupe de matières grasses (huile ou beurre) pendant une dizaine de minutes.

- Faire cuire *al dente* les farfalles dans de l'eau salée, les égoutter et les disposer au centre de 4 assiettes. Les surmonter avec les pavés de saumon et les napper de la préparation. Pour finir, disposer 1 branche de thym frais au-dessus du montage et servir.

Tagliatelles de saumon au bleu danois

$—👨‍🍳

Nombre de personnes : 4
Temps de préparation : 35 min
Temps de cuisson : 20 min

Accord mets et vins :
Vin blanc sec et aromatique

Ingrédients :

200 g de saumon kéta en boîte
400 g de tagliatelles
150 g de bleu danois
3 échalotes françaises
100 ml de crème champêtre
200 ml de vin blanc
1/4 de botte de thym
2 c. à soupe de câpres
2 c. à soupe de pignons de pin
2 c. à soupe d'huile d'olive

Préparation :

- Dans une casserole d'eau salée, faire bouillir les tagliatelles. Après la cuisson, les rincer à l'eau froide, puis ajouter un peu d'huile d'olive. Réserver.

- Hacher les échalotes et les câpres, puis les faire revenir dans un peu d'huile d'olive dans une poêle.

- Arroser ces condiments avec le vin blanc et laisser réduire au quart. Ajouter la crème et laisser frémir pendant quelques minutes.

- Rectifier au besoin l'assaisonnement, puis ajouter progressivement le fromage bleu pour le faire fondre dans la sauce.

- Pour terminer, ajouter dans la sauce les pignons de pin, le thym et le saumon émietté.

- Réchauffer les pâtes dans une poêle à feu moyen et servir.

$$—🍳🍳🍳
Nombre de personnes : 4
Temps de préparation : 50 min
Temps de cuisson : 35 min

Accord mets et vins :
Vin blanc riche et boisé

Saumon sauce hollandaise au citron Meyer

Ingrédients :

4 darnes de saumon
600 g de pommes de terre nouvelles
4 poireaux
1 citron Meyer
3 œufs
100 ml de fumet de poisson (voir recette p. 175)
100 ml de vin blanc
Sel et poivre, au goût

Préparation :

- Nettoyer et couper les poireaux dans le sens de la longueur en 2 ou en 4 (selon leur taille). Attention, enlever la partie vert foncé pour ne garder que la blanche et la vert clair. Disposer ensuite dans un plat allant au four à rebord mi-haut.

- Arroser les poireaux avec le fumet de poisson et le vin blanc jusqu'à mi-hauteur du plat.

- Dans de l'eau salée, faire bouillir les pommes de terre nouvelles avec la peau pour les attendrir.

- Dans un bain-marie, en évitant de faire bouillir l'eau, fouetter 1 jaune d'œuf, du sel et le jus du citron pendant une dizaine de minutes, jusqu'à l'obtention d'une mousse onctueuse. Ajouter ensuite progressivement le beurre fondu, afin d'éviter que la sauce tourne. Attention, cette sauce ne doit pas être exposée à une température trop haute ni trop basse. Il faut donc veiller à la maintenir entre 40 et 60 °C.

- Pour finir, cuire chaque côté des darnes de saumon préalablement salées et poivrées dans une poêle de 3 à 4 minutes avec un peu de matières grasses (huile ou beurre).

Trucs du chef

Bouquet garni

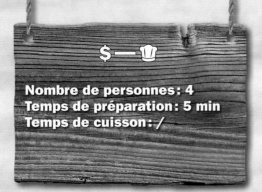

$—♟

Nombre de personnes : 4
Temps de préparation : 5 min
Temps de cuisson : /

Ingrédients :

1 poireau
1 branche de céleri
2 feuilles de laurier
2 branches de thym
1 gousse d'ail

Préparation :

- Couper le poireau pour ne garder qu'un tronçon de vert d'une taille de 15 cm. Tailler ensuite ce tronçon dans le sens de la longueur.

- Superposer 2 ou 3 feuilles de vert de poireau et glisser à l'intérieur de ce montage 1 branche de céleri de la même dimension, les 2 branches de thym, les feuilles de laurier et 1 gousse d'ail entière épluchée.

- Refermer le tout avec 2 ou 3 autres feuilles de vert de poireau. Ficeler ensuite les 2 extrémités du bouquet garni afin de bien maintenir tous les ingrédients en place.

$$—♟♟

Nombre de personnes: 4
Temps de préparation: 35 min
Temps de cuisson: 20 min

Fumet de poisson

Ingrédients :

300 g d'arêtes de poisson
1 tête de poisson
1 carotte
1 échalote française
25 g de beurre
1 1/2 L d'eau
1 tasse de vin blanc
1 bouquet garni (voir recette
p. 174)

Préparation :

- Dans une cocotte, faire revenir l'échalote hachée et la carotte coupée en julienne dans le beurre.

- Ajouter à cette préparation les arêtes préalablement coupées en 3 ou 4 morceaux, ainsi que la tête de poisson. Dès qu'elles se colorent, mouiller avec l'eau et le vin blanc.

- Ajouter le bouquet garni et laisser frémir (sans bouillir) pendant 20 minutes, en prenant soin d'écumer pendant la cuisson la mousse qui apparaît à la surface du fumet.

- Après la cuisson, filtrer à la passoire et réserver jusqu'à l'utilisation.

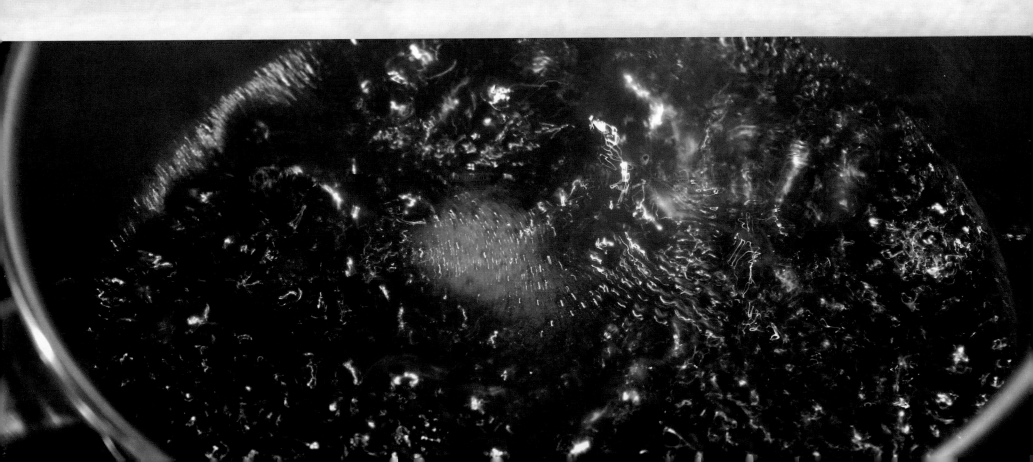

Nombre de personnes : 4
Temps de préparation : 30 min

Bouillon de dashi

Ingrédients :
1 L d'eau
20 cm d'algues Konbu
4 c. à soupe de bonite séchée

Préparation :
- Casser les algues Konbu en 6 morceaux dans l'eau froide.

- Porter ensuite à ébullition.

- Retirer du feu et ajouter immédiatement la bonite.

- Laisser infuser 15 minutes et filtrer à l'aide d'une passoire.

Sauce au yogourt

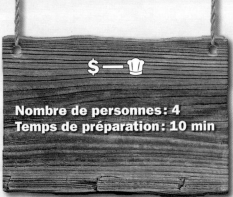

$ — ♟

Nombre de personnes : 4
Temps de préparation : 10 min

Ingrédients :
2 c. à thé de crème sure
100 ml de yogourt nature
2 c. à thé de vinaigre
1 pincée de sel
1 pincée de poivre

Préparation :
- Mélanger simplement tous les ingrédients.

Bio du chef

Alsacien d'origine, Bertrand Eichel a toujours été gourmand, aussi il s'est naturellement tourné vers une formation de cuisinier dès l'âge de 14 ans. En l'espace de six ans, il a étudié au réputé lycée hôtelier de Strasbourg, où il a décroché un Brevet de Technicien Supérieur en arts culinaires tout en participant à plusieurs concours de cuisine. Il a également fait ses classes sur le terrain dans plusieurs établissements prestigieux comme Le Berkeley à Londres ou encore Le Château Montebello.

Il s'est par la suite spécialisé dans la sommellerie et a choisi le Québec pour bâtir sa carrière, mais n'a jamais abandonné les fourneaux, à ceci près qu'il réserve à présent ses petits plats pour sa famille et ses amis.

Il évolue aujourd'hui comme sommelier en chef du club privé Le 357c, situé dans le Vieux Montréal, tout en étant chroniqueur gastronomique pour le journal Voir et le site VinoTV.ca <http://VinoTV.ca>, mais aussi conférencier et animateur de dégustations.

Il a remporté le Prix Carte d'or pour l'Auberge Sauvignon (Mont-Tremblant) il y a six ans, ainsi que le concours du Meilleur Sommelier du Québec 2009.

Index